Beibl i Gymru

Darlun o'r Esgob William Morgan gan Keith Bowen.

PRYS MORGAN

BEIBL I GYMRU

Pwyllgor Dathlu
Pedwarcanmlwyddiant Cyfieithu'r Beibl/
Gwasg Cambria

Argraffiad cyntaf—1988
ISBN 0 900439 44 0 (clawr caled)
ISBN 0 900439 43 2 (clawr meddal)
(h) y testun: Prys Morgan, 1988 ©
Dyluniwyd gan Elgan Davies

Dymuna'r cyhoeddwyr gydnabod cymorth a
chyfarwyddyd Adrannau'r Cyngor Llyfrau Cymraeg a
noddir gan Gyngor Celfyddydau Cymru a hefyd nawdd
ariannol gan Ymddiriedolaeth Cathryn a'r Fonesig
Grace James.

Cyhoeddwyd gan Bwyllgor Dathlu
Pedwarcanmlwyddiant Cyfieithu'r Beibl mewn
cydweithrediad â Gwasg Cambria.
Cysodwyd ac argraffwyd gan y Cambrian News
(Aberystwyth) Cyf.

CYNNWYS

I'r vnic Dduw y byddo'r gogoniant.

LLUNIAU

Dalen-glawr flaen: Gogledd Cymru yng nghyfnod yr Esgob Morgan. Rhan o fap gan Christopher Saxton, 1580.

Wyneb-lun: Darlun o'r Esgob William Morgan gan Keith Bowen.

1 Beibl Gutenberg, c. 1456, o'r gwreiddiol yn y Llyfrgell Brydeinig.

2 Wynebddalen Beibl yr Esgob Morgan, 1588.

3 Wynebddalen Testament Newydd 1567: y genedl yn deffro o dywyllwch anwybodaeth.

4 Y Beibl Mawr yn Saesneg, 1539.

5 Y Brenin Harri VIII. Engrafiad, c. 1700.

6 'Y Beibl Ynghymraec', darn o'r Beibl wedi ei gyfieithu i'r Gymraeg yn yr Oesoedd Canol, o lawysgrif Peniarth 20, Llyfrgell Genedlaethol Cymru.

7 Porth y fynwent, eglwys Llanrhaeadr-ym-Mochnant.

8 Bodidris, Llandegla. William Morgan a draddododd y bregeth yn angladd pendefig Bodidris.

9 Tudalen o'r llyfr cyntaf i'w argraffu yn Gymraeg, *Yny Lhyvyr Hwnn*, 1546.

10 William Salesbury. Cerflun o gofgolofn y cyfieithwyr yn Llanelwy.

11 Wynebddalen *Kynniver Llith a Bann* gan William Salesbury, 1551.

12 Y Lloran Uchaf, Llansilin. Ffermdy gelynion William Morgan pan oedd yn ficer Llanrhaeadr.

13 Yr Eglwys Gadeiriol yn Llanelwy, lle claddwyd yr Esgob Morgan. Yma hefyd y treuliodd Richard Parry gyfnod fel esgob.

14 Wynebddalen Llyfr Gweddi Gyffredin 1567.

15 Syr John Wynn o Wydir, noddwr a chyfaill yr Esgob Morgan. Engrafiad gan R. Vaughan, c. 1700.

16 Yr Esgob William Morgan. Darlun dychmygol mewn golch pen ac inc gan T. Prytherch, 1907.

17 Plas Maenan, Dyffryn Conwy. Cartref uchelwr o gyfnod yr Esgob Morgan.

18 Brithdir Mawr, Cil-cain, c. 1590. Cartref mân ysweiniaid gogledd-ddwyrain Cymru yng nghyfnod yr Esgob Morgan.

19 Tŷ Mawr, Wybrnant, Penmachno. Cartref William Morgan.

20 Plas Gwydir, ar draws yr afon o Lanrwst. Cartref noddwyr William Morgan.

21 Capel teulu Gwydir yn eglwys Llanrwst. Engrafiad ar bren gan Hugh Hughes, 1823.

22 Adeiladau canoloesol Coleg Sant Ioan, Caer-grawnt. Engrafiad gan S. Sparrow, c. 1820.

23 Eglwys Gadeiriol Ely, lle'r ordeiniwyd William Morgan yn esgob. Darlun dyfrliw gan J. M. W. Turner, 1797.

24 Beibl Hebraeg a fu ym meddiant yr Esgob Morgan, yn cynnwys nodiadau Cymraeg yn ei lawysgrifen ar ystyr ambell air Hebraeg.

25 Maen coffa i William Morgan ac Edrıwnd Prys yng Ngholeg Sant Ioan, Caer-grawnt.

26 Eglwys Llanbadarn Fawr, lle cafodd William Morgan ei swydd gyntaf. Darlun olew gan arlunydd Prydeinig Fictoraidd, 1895.

27 Y Trallwng, lle bu William Morgan yn ficer. Darlun olew gan Edward Dayes, 1803.

28 Map printiedig o Gymru gan gyfoeswr i'r Esgob Morgan, Humphrey Lhuyd, c. 1580.

Dymuna'r awdur a'r cyhoeddwyr ddiolch i'r sefydliadau canlynol am ryddhau'r hawlfraint ar y lluniau yma ac am ganiatâd i'w hatgynhyrchu:
1 Amgueddfa Genedlaethol Cymru, Caerdydd: 38
2 Yr Archifdy Gwladol: 39
3 Bwrdd Croeso Cymru: 42
4 Casgliad Goodwood, Chichester: 32
5 Cofrestr Henebion Cenedlaethol Cymru: 17, 18.
6 Cyngor Llyfrau Cymraeg: 7, 8, 12, 13, 19, 20, 29, 30, 31, 36, 48.
7 Cymdeithas y Beibl: 47
8 Y Llyfrgell Brydeinig: 1
9 Llyfrgell Genedlaethol Cymru: Llun clawr cefn, dalen-glawr flaen, 2, 3, 4, 5, 6, 9, 10, 11, 14, 15, 16, 21, 24, 26, 27, 28, 33, 34, 35, 37, 40, 41, 43, 44, 45, 46, dalen-glawr ôl.
10 Oriel Gelf Aberdeen: 23
11 Prifathro a Chymrodorion Coleg Sant Ioan, Caergrawnt: 22, 25.
12 Swyddfa'r Post: Llun clawr, wyneb-lun, 49

RHAGAIR

Rwyf yn ddiolchgar i Bwyllgor Dathlu Pedwarcanmlwyddiant Cyfieithu'r Beibl am fy ngwahodd yn y lle cyntaf i ysgrifennu hanes byr y cyfieithiad hwnnw. Diolch i staff y Cyngor Llyfrau Cymraeg am eu cymorth wrth baratoi'r llawysgrif ar gyfer ei chyhoeddi, i'r Athro Emeritws Glanmor Williams a'r Athro R. Geraint Gruffydd am ddarllen y llawysgrif ac am lawer o awgrymiadau gwerthfawr, ac i Mr. Paul Joyner am ei gyngor a'i gymorth wrth ddewis a dethol y lluniau.

Fel rheol, y drefn wrth ysgrifennu llyfr fydd cael testun, ac yna addurno'r testun hwnnw â lluniau ond yn achos y llyfr hwn, dewisais y lluniau yn gyntaf ac wedyn ysgrifennu'r testun, a'u cadw hwy mewn golwg. Rwyf wedi hepgor nodiadau, ac er mwyn hwyluso'r darllen diweddarais orgraff y dyfyniadau (Saesneg a Chymraeg). Wrth imi ddyfynnu o ragair Lladin Dr. Morgan i Feibl 1588, defnyddiais gyfieithiad Mr. Ceri Davies, Caerdydd, sydd wedi ei gyhoeddi yn ei lyfr *Rhagymadroddion a Chyflwyniadau Lladin 1551-1632* (Caerdydd 1980).

Prys Morgan
Abertawe 1988

de hebreis voluminibus additum noue
rit eque vsq3 ad duo puncta iuxta theo
dotionis dumtaxat editione: qui sim
plicitate sermonis a septuaginta inter
pretibus non discordat. Hec ergo et vo
bis et studioso cuiq3 fecisse me sciens
non ambigo multos fore qui vel inui
dia vel supercilio malint contempnere
et videre predara quam discere: et de
turbulento magis riuo quam de pu
rissimo fonte potare. Explicit prologus
Incipit liber ymnorum vl soliloquiorum

Beatus vir qui non
abijt in consilio im
piorum: et in via pec
catorum non stetit:
et in cathedra pesti
lentie non sedit. Sed
in lege domini voluntas eius: et in lege
eius meditabitur die ac nocte. Et erit
tanquam lignum quod plantatum est secus
decursus aquarum: quod fructum suum dabit
in tempore suo. Et folium eius non defluet: et
omnia quecumq3 faciet prosperabuntur.
Non sic impii non sic: sed tanquam pul
uis quem proicit ventus a facie terre. I
deo non resurgunt impii in iudicio: neq3
peccatores in consilio iustorum. Quoni
am nouit dominus viam iustorum: et iter
impiorum peribit. Psalmus dauid
Quare fremuerunt gentes: et popli me
ditati sunt inania. Astiterunt
reges terre et principes conuenerunt in
vnum: aduersus dominum et aduersus christum eius.
Dirumpamus vincula eorum: et priciamus
a nobis iugum ipsorum. Qui habitat in ce
lis irridebit eos: et dominus subsannabit eos.
Tunc loquetur ad eos in ira sua: et in
furore suo conturbabit eos. Ego au
tem constitutus sum rex ab eo super syon
montem sanctum eius: predicans preceptum
eius. Dominus dixit ad me filius

meus es tu: ego hodie genui te. Po
stula a me et dabo tibi gentes heredi
tatem tuam: et possessionem tuam terminos
terre. Reges eos in virga ferrea: et tan
quam vas figuli confringes eos. Et nunc
reges intelligite: erudimini qui iudica
tis terram. Seruite domino in timore: et ex
ultate ei cum tremore. Apprehendite di
sciplinam: ne quando irascatur dominus
et pereatis de via iusta. Cum ex
arserit in breui ira eius: beati omnes
qui confidunt in eo. Psalmus dauid
cum fugeret a facie absolon filij sui.
Domine quid multiplicati sunt qui
tribulant me: multi insurgunt ad
uersum me. Multi dicunt anime mee:
non est salus ipsi in deo eius. Tu aut
domine susceptor meus es: gloria mea et ex
altans caput meum. Voce mea ad do
minum clamaui: et exaudiuit me de mo
nte sancto suo. Ego dormiui et soporat9
sum: et exsurrexi quia dominus suscepit me.
Non timebo milia populi circūdan
tis me: exurge domine saluum me fac deus
meus. Quoniam tu percussisti omnes
aduersantes michi sine causa: dentes
peccatorum contriuisti. Domini est salus:
et super populum tuum benedictio tua.
In finem in carminibus psalmus dauid
Cum inuocarem exaudiuit me deus
iusticie mee: in tribulatione dila
tasti michi. Miserere mei: et exaudi o
rationem meam. Filij hominum vsq3 quo
graui corde: ut quid diligitis vanita
tem et queritis mendacium. Et scitote
quoniam mirificauit dominus sanctum suum:
dominus exaudiet me cum clamauero ad eum.
Irascimini et nolite peccare: qui di
citis in cordibus vestris in cubilibus
vestris compungimini. Sacrificate
sacrificium iusticie et sperate in domino:
multi dicunt quis ostendit nobis bona.

1 Beibl Gutenberg, c. 1456, o'r gwreiddiol yn y Llyfrgell Brydeinig.

2 Wynebddalen Beibl yr Esgob Morgan, 1588.

PAM ROEDD EISIAU CYFIEITHU'R BEIBL I'R GYMRAEG?

Heb ddysg, heb ddim, heb ddoniau syw,
Heb lyfyr Duw yn athro,
Heb ddysgeidiaeth gwir gan neb,
Mawr oedd dallineb Cymro.

Ond yn awr mewn cryfder ffydd,
Yr wyf yn prudd obeithio,
Yn ôl hyn o hudol haint,
Y cyfyd braint ar Gymro.

O hil Frutus, rywiog ryw,
Rhowch glod i Dduw amdano,
Llyma'r G'lennig orau ras
Erioed a gafas Cymro.

Arfer ddarllen hwn yn glos,
Dan ddydd a nos myfyrio
Gair yr Arglwydd ymhob man,
Mewn llys a llan, y Cymro.

Diolch, diolch (hyn nid cam)
Y penyd am gyfieithio,
Drwy wir nerth yr Ysbryd Glân,
I'r Doctor Morgan, Gymro!

Dyna rai o benillion cân hir o ddiolch am y Beibl Cymraeg yn 1588 gan Thomas Jones, ficer Llandeilo Bertholau yn Sir Fynwy. Blwyddyn gythryblus yn hanes Cymru a Lloegr oedd 1588 ac roedd Thomas Jones eisoes wedi canu cân o ddiolch am waredigaeth oddi wrth Armada Sbaen. Daeth y Beibl Cymraeg o'r argraffwasg yn Llundain a chyrraedd Cymru tua diwedd y flwyddyn 1588, felly yr oedd yn 'Glennig' neu'n anrheg Blwyddyn Newydd ardderchog. Y peth pwysicaf i'r bardd oedd bod y Beibl newydd yn agor llygaid y Cymro ac yn rhoi terfyn ar ei 'ddallineb'. Diolch am oleuni y mae llawer o Gymry eraill wrth sôn am y cymwynas o gyfieithu'r Beibl, er enghraifft Ieuan Tew, y bardd o ardal Cydweli yn Sir Gaerfyrddin:

Y Beibl faith yn ein hiaith ni
Yw'r Haul yn rhoi'i oleuni.

Achwyn am ddallineb yr hen drefn, heb y Beibl, a wna'r bardd Siôn Tudur o Wigfair yn Sir Ddinbych:

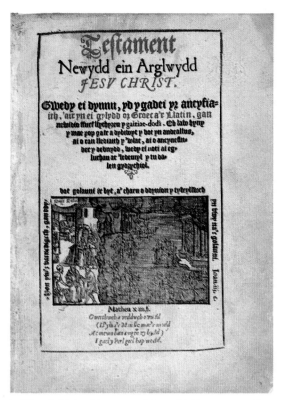

Gelyniaeth a wnaeth un wedd
Eglwys Rufain, gloes ryfedd.
Chwarae â ni'n chwerw a wnaeth,
Chwarae mwm, chwerwa' mamaeth;
Chwarae ddoe, yn chwerw ddeall,
Mig un dwyll â'r mwgan dall;
A'n pennau'n eu cau mewn cwd
Am ein magu mewn mwgwd.

Roedd Siôn Tudur yn beio hen Eglwys Rufain
am y dallineb, gan ei bod hi'n cadw pen pob un
mewn cwd neu sach, a mwgwd am wyneb dyn,
fel na allai weld y gwirionedd. Gwyddai Cymry
fel Siôn Tudur fod cyfieithiadau o'r Beibl i'w cael
mewn ieithoedd eraill, fel Almaeneg a Saesneg,

felly yr oedd y wawr yn hwyr yn torri yng
Nghymru.

Daeth cyfieithiad Cymraeg 1588 wedi canrif o
astudio a chyfieithu testun y Beibl na fu ei thebyg
trwy wledydd Cred. Ers canrif bu diddordeb
dwfn ac ysol yn yr Ysgrythurau. Yn ail hanner y
14 ganrif mynnai John Wycliffe a'i ddilynwyr yn
Lloegr gael testun y Beibl yn Saesneg. Ar
ddechrau'r 15 ganrif mynnai dilynwyr Jan Hus
gael yr un peth yn yr iaith Tsiec, sef iaith
Bohemia. Yn 1500 trefnodd Cardinal Ximenes i
argraffu Beibl mewn pedair iaith — Hebraeg,
Groeg, Lladin a Chaldaeg — sef 'Y Beibl
Polyglot', ar wasg Prifysgol Alcalá de Henares yn
Sbaen. Yn 1516 cyhoeddodd yr ysgolhaig
Erasmus o Rotterdam destun Groeg y Testament
Newydd ynghyd â nodiadau manwl i'w esbonio
i'r lleygwr. Cafodd y cyhoeddiad hwn
ddylanwad mawr ar y Diwygiwr Martin Luther.
Yn 1522 pan oedd Martin Luther ar ffo, ac yn
ymguddio mewn castell o'r enw Wartburg yn
fforestydd Thuringia, aeth ati i gyfieithu'r
Testament Newydd i'r Almaeneg, ac erbyn 1534
roedd wedi cyfieithu'r Beibl cyfan. Cafodd ei
gyfieithiad ddylanwad aruthrol. Credai Luther
fod 'y Gair yn gallu cyflawni'r cyfan', a thrwy
gydol ei fywyd bu'n hynod brysur yn cyhoeddi
esboniadau ar yr Ysgrythurau ac yn trefnu i
gyhoeddi ac ailgyhoeddi'r Beibl. Yn ystod oes
Luther cyhoeddwyd 377 o argraffiadau o'i
gyfieithiad.

Un a ddaeth o dan ddylanwad Luther ac a aeth
i astudio yn ei gartref yn Wittenberg oedd y Sais,
William Tyndale. Dan amgylchiadau hynod
anodd llwyddodd i gyhoeddi cyfieithiad o rannau
helaeth o'r Beibl i'r Saesneg. Ond cwerylodd
gyda llywodraeth y Brenin Harri VIII; fe'i
herlidiwyd, ac yn 1536 fe'i daliwyd a chrogwyd
ef i farwolaeth cyn iddo allu cyflawni'r gamp o
orffen cyfieithu'r Beibl. Ond yr oedd Saeson
eraill fel Miles Coverdale yn gweithio ar
gyfieithiad arall, ac yn 1539 golygodd Coverdale
argraffiad newydd o'r Beibl yn Saesneg, 'The

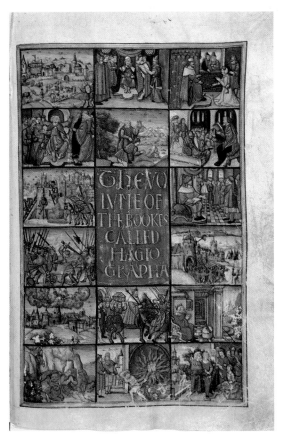

4 Y Beibl Mawr yn Saesneg, 1539.

5 Y Brenin Harri VIII. Engrafiad, c. 1700.

Great Bible', dan nawdd ac anogaeth Archesgob Cranmer, a chyda chytundeb llywodraeth Harri VIII. Cafwyd wedi hynny nifer o fersiynau eraill o'r Beibl yn Saesneg nes cael y fersiwn awdurdodedig o'r wasg ar gais y Brenin Iago I yn 1611.

Beth sydd yn esbonio'r fath ysfa ar draws gwledydd Cred i gyfieithu'r Ysgrythurau? Diwygwyr crefyddol, mae'n wir, oedd cyfieithwyr fel Luther a Tyndale. Ond Pabyddion oedd Cardinal Ximenes ac Erasmus o Rotterdam, ac er nad oedd y Pabyddion yn awyddus i roi'r Ysgrythurau yn nwylo lleygwyr anneallus yn y cyfnod hwn, cyhoeddwyd cyfieithiadau o'r Beibl ganddynt hwythau. I ddeall yr holl ysfa hon, y mae'n rhaid troi'n ôl ymhell i hanes yr Oesoedd Canol.

Rhoddwyd y Beibl Cristnogol at ei gilydd yng nghyfnod yr Eglwys Fore, yn ystod y canrifoedd cyntaf wedi amser Crist. Rhoddwyd y llyfrau a sgrifennwyd wedi amser Crist at ei gilydd yn Destament Newydd. Ond y mae Cristnogaeth yn hanu o grefydd yr Iddewon, ac mae Crist a'r Apostol Paul yn cyfeirio yn ôl gymaint at hanes a phroffwydoliaethau'r Beibl Hebraeg, sef Ysgrythurau'r Iddewon, nes bod yr Eglwys Fore yn teimlo nad oedd un testun yn gyflawn heb y llall, a rhaid oedd darllen y Beibl Hebraeg yng ngoleuni'r hyn a gofnodwyd yn y Testament Newydd. Roedd y Testament Newydd wedi ei sgrifennu mewn Groeg, ond nid oedd yn anodd asio'r Beibl Hebraeg (a alwyd gan yr Eglwys Fore'n Hen Destament) at y Testament Newydd gan fod fersiwn Groeg o'r Beibl Hebraeg ar gael ers dros ddwy ganrif cyn amser Crist — y fersiwn a elwir y 'Septuagint'. Yr oedd rhai llyfrau yn y

Septuagint nad oedd fersiynau gwreiddiol ohonynt i'w cael yn yr Hebraeg, ac nid oedd yr Iddewon yn eu hystyried fel Gair Duw; galwyd y llyfrau hynny yn 'Apocryffa'.

I Gristnogion gorllewin Ewrop roedd yr iaith Ladin yn llawer iawn mwy adnabyddus na Groeg, a chan fod cryn bwyslais yn yr Eglwys Fore ar ddarllen a gwrando'r Ysgrythurau, bu'n rhaid cael fersiwn Lladin ohonynt. Cyflawnwyd y gamp o'u cyfieithu gan Sant Ierom. *Vulgus* yw'r gair Lladin am bobl, a'r 'Fwlgat' ('y Beibl yn iaith y bobl') yw'r enw a roddir ar ei gyfieithiad Lladin. Y Fwlgat oedd y fersiwn a ddefnyddid yn yr Eglwys Gatholig trwy'r Oesoedd Canol. Yn ystod y cyfnod hwnnw ceid darlleniadau o'r Beibl yng ngwasanaethau'r Eglwys, ac felly roedd credinwyr ganrif ar ôl canrif yn clywed geiriau'r Ysgrythurau'n cael eu darllen yn gyson yn yr eglwysi. Os felly, pa ystyr a allasai fod i adfywiad neu ysfa newydd am ddeall geiriau'r Beibl ar ddiwedd yr Oesoedd Canol?

Rhaid i ni gofio mai rhan yn unig o'r grefydd Gatholig oedd darllen a gwrando'r Beibl. Fel yr âi'r canrifoedd yn eu blaen chwaraeai'r Beibl lai a llai o ran yng nghrefydd a diwylliant yr Eglwys. Roedd yr Eglwys Fore'n datblygu'n raddol yn

Eglwys Gatholig yr Oesoedd Canol, sef 'Catholig' yn yr ystyr 'byd-eang'. Trowyd un genedl ar ôl y llall yn Gristnogion, nes troi'r cyfandir cyfan. I'r cyfandir Cristnogol hwn crewyd diwylliant grymus a chynhwysfawr, yn dylanwadu ar bob agwedd o fywyd. Ochr yn ochr â'r Beibl, roedd gan yr Eglwys gorff o ysgrifeniadau'r Tadau Eglwysig, hynny yw meddylwyr ac ysgolheigion a phregethwyr mawrion yr Eglwys Fore, a rhaid oedd astudio eu gweithiau hwy yn ogystal â'r Beibl. Wrth i'r holl genhedloedd gael eu tynnu i mewn i'r Eglwys, bu'n rhaid creu rhwydwaith o wledydd Cristnogol, a'u cadw mewn trefn. Bu'n rhaid cymathu diwylliant yr Eglwys Fore a chyfundrefnau llwythau a brenhinoedd gwledydd Cred. Hefyd, er mwyn cenhadu ymhlith y cenhedloedd hyn a'u cadw'n dynn at y ffydd Gristnogol, bu'n rhaid cymathu mewn ffordd arall, a datblygu diwylliant Catholig newydd a oedd yn gymysgedd o Gristnogaeth yr Eglwys Fore a diwylliant lleol a brodorol y cenhedloedd. Ar un llaw crewyd y drefn ffiwdalaidd trwy roi lliw neu arlliw Cristnogol ar drefn y gymdeithas o'i hamddiffyn ei hun trwy gyfrwng lluoedd o filwyr a oedd yn ffyddlon i dywysog neu arweinydd milwrol. Ar y llaw arall cymathwyd Cristnogaeth a diwylliant gwerin cenhedloedd Ewrop. Addaswyd eu chwedlau paganaidd, crewyd diwylliant o hwyl a llawenydd, o bererindota i ffynhonnau, o addoli seintiau lleol, o broffwydo a swyno a chyfareddu, a hyd yn oed o ddewiniaeth; diwylliant o wyliau mabsant a dramâu crefyddol, a digon o amrywiaeth i blesio pob plwyf a bro. Diwylliant cwmpasog ac ystwyth ydoedd, yn caniatáu amrywiaeth ym mhob ardal, ond yn cadw undod sylfaenol trwy ddisgyblaeth y Pabau yn Rhufain, trwy gydweithrediad y Pabau gydag arglwyddi ffiwdal, a thrwy ddefnyddio'r mynachod a'r lleianod, a oedd yn aelodau o urddau rhyngwladol, fel cynrychiolwyr trefn a disgyblaeth y Pabau yn Rhufain. Aeth y drefn hon o lwyddiant i lwyddiant hyd tua'r flwyddyn 1300, ac yn wir y mae diwylliant Catholig yr Oesoedd Canol yn un o ryfeddodau hanes. Ond yn sgîl y broses hon o gadw undod ac o greu diwylliant poblogaidd a chynhwysfawr, gwthiwyd yr Ysgrythurau fwyfwy i'r cefndir.

Yn un peth, diwylliant anllythrennog ydoedd, lle nad oedd neb ond offeiriaid a mynachod yn gallu darllen; diwylliant nad oedd yn ystyried bod geiriau ysgrifenedig yn bethau pwysig. Yn yr Eglwys Fore fe astudiy geiriau'n ofalus am eu bod yn arwydd neu'n neges am ail-ddyfodiad buan Crist yn Nydd y Farn. Yr oedd y credinwyr yn lleiafrif yn y gymdeithas, a honno'n gymdeithas a oedd i ryw raddau'n gyfarwydd â thraddodiad y Groegwyr o drin a thrafod geiriau a dadlau'n athronyddol. Yr oedd yr Eglwys Fore hefyd yn gymdeithas o unigolion a oedd wedi cael tröedigaeth fel unigolion, a gwyddent i ryw

raddau beth oedd personoliaeth unigol. Ond fel yr âi'r canrifoedd yn eu blaen a'r Eglwys Gatholig yn creu Cristnogaeth i holl wledydd Cred, symudodd y pwyslais at y diwylliant cyfan, at allu'r gyfundrefn Gatholig i gydweithio gyda Duw ac aberth Crist i ennill bywyd tragwyddol wedi Dydd y Farn. Y gamp fawr oedd achub y byd i Grist, nid apelio at eneidiau unigol.

Astudid yr Ysgrythurau, wrth gwrs, yn ystod yr Oesoedd Canol, yn ysgolion y mynachod, ac yn y prifysgolion a sefydlwyd gan yr Eglwys, ond o bell neu drwy ddrych yr astudid hwy fel arfer, trwy chwilio ynddynt am ddehongliadau moesol neu alegorïol neu symbolaidd. Yr oedd yr un mor bwysig i ysgolhaig astudio bywydau'r seintiau (bucheddau'r saint) neu drafodaethau crefyddol a moesol Tadau'r Eglwys, yr holl ysgrifeniadau pwysig a gafwyd wedi cyfnod y Beibl, yr hyn a elwid yn 'Draddodiad yr Eglwys'. At ei gilydd, bach iawn o sôn oedd am neges y Testament Newydd i'r unigolyn o Gristion.

6 'Y Beibl Ynghymraec', darn o'r Beibl wedi ei gyfieithu i'r Gymraeg yn yr Oesoedd Canol, o lawysgrif Peniarth 20, Llyfrgell Genedlaethol Cymru.

Mae'n hawdd deall, felly, mai ychydig bach iawn o ddarnau o'r Beibl a oedd ar gael yn yr ieithoedd brodorol yn ystod yr Oesoedd Canol. Yn Gymraeg, er enghraifft, ychydig ddarnau yn unig a gyfieithwyd, hyd y gwyddom ni, a'r darnau hynny'n dod o albwm neu gompendiwm neu flodeugerdd o ddarnau o'r Ysgrythur yn hytrach nag o'r Beibl ei hun. Yn Lladin yr oedd y gwasanaeth ar ei hyd. Lladin oedd iaith gysegredig yr Eglwys, iaith ei chyfundrefn ryngwladol. Gallai'r offeiriad esbonio pob dim yr oedd eisiau i'r lleygwyr cyffredin ei wybod; nid oedd angen i'r lleygwyr ddeall pob sillaf, ac yn sicr nid oedd diben iddynt ddysgu darllen.

Roedd pwysigrwydd y Lladin fel iaith unedig yr Eglwys yn symbol o undod yr Eglwys ar draws gwledydd Cred ac ar hyd y canrifoedd. Hyd at 1300 neu 1340 llwyddodd yr Eglwys yn rhyfeddol i gadw'r cenhedloedd at ei gilydd a thawelu pob beirniadaeth. Ond wedi 1300 daeth cyfnod hir o wyntoedd croesion a helynt a stormydd. Roedd y gymdeithas unedig yr oedd yr Eglwys wedi gwneud cymaint i'w chreu yn dechrau ymddatod. Daeth cyfnod o ddadlau ac ymryson ymhlith yr offeiriad eu hunain. Yn y 14 ganrif symudodd y Pabau o Rufain i dref Avignon yn Ffrainc. Ymrannodd yr Eglwys nes cael dau Bab, ac wedyn dri Phab, a'r tri ohonynt

7 Porth y fynwent, eglwys Llanrhaeadr-ym-Mochnant.

yn melltithio'i gilydd. Nid peth newydd oedd heresi, sef syniadau crefyddol anuniongred, ond wedi'r flwyddyn 1300 daeth heresi'n fwy cyffredin, yn anos ei chosbi a'i hatal. Ochr yn ochr â'r datblygiadau hynny datblygodd casineb at y clerigwyr a chwerthin am ben rhagrith yr offeiriaid, ac yn enwedig y mynachod, gyda lleygwyr yn teimlo'n eiddigeddus o'u cyfoeth yn y byd hwn a'u sicrwydd o nefoedd yn y byd nesaf. Ni wyddai'r Eglwys yn iawn sut oedd dygymod â'r gymdeithas newydd a oedd yn codi o'i chwmpas.

Gynt, buasai'r Eglwys yn ei chael hi'n hawdd i wastrodi brenhinoedd ac arglwyddi ffiwdalaidd; cosbwyd y Brenin John, tad-yng-nghyfraith y Tywysog Llywelyn Fawr, am iddo anufuddhau i'r Pab. Erbyn 1300 nid oedd llywodraethau mor barod i dalu trethi i Rufain, llai fyth yn 1400 neu

1500. Gynt buasai'r Eglwys yn ei chael hi'n hawdd i wastrodi lleygwyr beirniadol; gorchmynnwyd i frenin Ffrainc ymosod yn llym a didrugaredd ar yr Albigensiaid yn neheudir Ffrainc. Ond yn y 15 ganrif nid oedd modd cael brenhinoedd i ddinistrio Eglwys annibynnol Bohemia a oedd yn mynnu defnyddio'r iaith Tsiec, yn gwrthod talu trethi i Rufain, yn rhoi'r Ysgrythurau i'r Tsieciaid yn eu hiaith eu hunain ac yn rhoi Cymundeb iddynt ar ffurf bara a gwin, yn hytrach na'r bara yn unig, fel yr oedd yn arferol yn achos lleygwyr. Ni welai'r Eglwys — neu ni fynnai weld — fod llywodraethau wedi dod yn bwerau grymus a bod lleygwyr meddylgar a deallus wedi ymddangos mewn llawer man, gwŷr a oedd yn mynnu chwarae rhan bwysig yn eu bywyd crefyddol ac yn gweld bod yna ddiffyg croeso i'r unigolyn deallus yn yr Eglwys.

O 1300 ymlaen daeth y lleygwyr deallus yng ngorllewin Ewrop yn fwyfwy beirniadol o'r drefn Eglwysig, ac yn yr un cyfnod roedd llawer yn rhagor o'r lleygwyr wedi dysgu darllen. Yn ogystal, roedd y mân offeiriaid yn fwyfwy beirniadol o arweinwyr yr Eglwys, ac o'u cwmpas yr oedd bywyd cymdeithasol ac economaidd mewn argyfwng am nifer o resymau. Roedd plâu fel y Pla Du ar gynnydd trwy Ewrop o 1349 ymlaen, roedd trefn economaidd y maenorau yn ymddatod, roedd y Twrciaid yn fwyfwy llwyddiannus yn eu hymosod creulon ar Gristnogion, ac roedd crefydd Islam ar gynnydd yn nwyrain Ewrop. Yn 1453 syrthiodd Caergystennin, sef prifddinas y Cristnogion yn y Dwyrain, i ddwylo'r Twrciaid, ac roedd cenhedloedd cyfain, fel yr Albaniaid a'r Bosniaid, yn barod i ymuno ag Islam. Oherwydd y rhaniadau y soniasom ni amdanynt yn yr Eglwys, ni allai hi roi arweiniad nac ysbrydoliaeth ar yr union gyfnod yr oedd mwyaf o angen amdanynt. Bu llawer o ganlyniadau difrifol. Ond un canlyniad cadarnhaol oedd bod lleygwyr deallus yn dechrau astudio materion crefyddol i geisio eu

hatebion eu hunain, ac un ffordd sylfaenol o wneud hynny oedd mynd at yr hen Ysgrythurau i chwilio am ffon-fesur newydd, a chwilio am wir safonau. Oni ellid pwyso a mesur Pabau ac esgobion yn y fantol yn ôl pwysau geiriau Crist ei hun? Onid oedd Paul yn ei epistolau yn sgrifennu at gylchoedd bychain o unigolion meddylgar y tu allan i gyfundrefnau mawrion? Yr oedd cael gafael ar yr Ysgrythurau yn ddatguddiad rhyfeddol i'r cylchoedd hyn o leygwyr. Er gwaethaf yr holl amgylchiadau anodd, yr oedd syched am lyfrau ar y darllenwyr hyn, ac ni ellid torri'r syched â llyfrau llawysgrif am grefydd a moes a defosiwn personol. A dyna paham y dyfeisiwyd yr argraffwasg tua 1450, rywle yn yr Almaen — yn ninas Mainz, fwy na thebyg. O'r diwedd, yr oedd modd gan ddynion i gynhyrchu copïau di-rif o'r Beibl — ac fel mae'n digwydd, y

8 Bodidris, Llandegla. William Morgan a draddododd y bregeth yn angladd pendefig Bodidris.

19

llyfr cyntaf i gael ei argraffu, hyd y gwyddom, oedd Beibl Lladin, a Johannes Gutenberg oedd yr argraffydd. Mewn byd cythryblus o glefyd a phla a rhyfeloedd diddiwedd — y Rhyfel Can Mlynedd rhwng Lloegr a Ffrainc, er enghraifft — chwiliai'r lleygwyr am atebion, ac o fethu cael atebion clir gan yr Eglwys, chwilient amdanynt yn yr Ysgrythurau.

Os oedd pethau'n dywyll i'r Eglwys yng ngorllewin Ewrop, tywyllach fyth oedd pethau yng Nghymru, yn ôl ein harbenigwr pennaf ar y maes, yr Athro Glanmor Williams. Mae ef wedi tynnu darlun tywyll, os nad du, o grefydd yng Nghymru o tua 1340 ymlaen, a hynny am fod y cyfnod yn un o ddirywiad yn safon yr offeiriaid a'r eglwyswyr. Un rheswm dros hynny oedd y ffaith bod cymaint o gecru a chweryla rhwng yr esgobion a'r offeiriaid lleol am fod y swyddi pwysig yn nwylo estroniaid — Saeson, gan amlaf — a'r mân offeiriaid plwyf yn Gymry a deimlai fod yr esgobion a'r prif swyddogion yn tra-arglwyddiaethu'n drahaus ar y brodorion. Casgliad yr Athro Williams yw mai effaith drist y dirywiad hwn oedd drysu'r Cristnogion cyffredin, a chryfhau'r duedd at grefydd fecanyddol, allanol, ddefodol. Mae hyn yn wir i raddau, wrth gwrs, am bob rhan o orllewin Ewrop — oes oedd hi o godi allorau a mynd ar bererindodau ac addoli creiriau gyda seremonïau lliwgar. Ond yng Nghymru nid oedd yna gymdeithas drefol a allai gynhyrchu lleygwyr meddylgar, deallus ac annibynnol eu barn a fyddai'n troi at y Beibl fel at lys apêl yn erbyn diffygion yr Eglwys. O'r Cyfandir ac o Loegr y byddai'n rhaid i'r arweiniad ddod; yno yr oedd dinasoedd ac argraffweisg a phrifysgolion.

Hyd yn oed yn Lloegr nid oedd y llwybr at gael yr Ysgrythurau yn Saesneg yn ddidramgwydd. Yno cysylltid yr Ysgrythurau Saesneg gyda hereticiaid fel dilynwyr John Wycliffe. Amcangyfrifir bod rhyw 200 copi o Feibl y Lolardiaid wedi goroesi mewn llawysgrif, a hynny yn arwydd diamheuol o'i boblogrwydd.

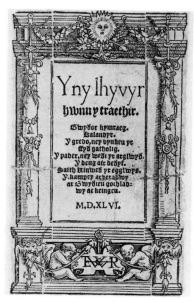

9 Tudalen o'r llyfr cyntaf i'w argraffu yn Gymraeg, *Yny Lhyvyr Hwnn*, 1546.

Hyd yn oed yn yr 1530au, pan oedd Harri VIII wedi torri pob cysylltiad â'r Pab yn Rhufain ac yn troi'r Eglwys Anglicanaidd — Eglwys Loegr — yn Eglwys annibynnol ar Rufain, nid oedd croeso i leygwyr ddarllen yr Ysgrythur fel y mynnent yn Saesneg. Lladdwyd William Tyndale pan oedd ar hanner cyfieithu'r Beibl i'r Saesneg. Yn 1539 rhoddwyd y Beibl Saesneg yn yr eglwysi, ond yn fuan wedi hynny rhwystrwyd pawb ond offeiriaid rhag ei ddarllen. Nid cyn teyrnasiad mab Harri VIII, y brenin ifanc Edward VI (1547-53), y daeth Diwygwyr selog i rym yn Eglwys Loegr i ddiwygio trefn y gwasanaethau a rhoi lle blaenllaw i'r Beibl yn yr eglwysi. O dan reolaeth Archesgob Cranmer, yn 1549 cafwyd Llyfr Gweddi Gyffredin i'w ddefnyddio ym mhob eglwys, a chychwynnwyd trefn o ddarllen y Beibl yn rheolaidd, a'r cyfan yn Saesneg.

Protestiodd trigolion Cernyw na ddeallent y Llyfr Gweddi newydd, a'u bod mor anghyfarwydd â'r Saesneg nes bod bregliach y gwasanaeth Saesneg yn swnio fel 'Christmas game'. Yng Nghymru hefyd yr oedd unigolion o Ddiwygwyr yn ymdeimlo â'r awydd i gael Ysgrythurau y byddai'r Cymry yn eu deall. Yn wir, mae yna gyfieithiadau Cymraeg mewn llawysgrifau sy'n ymddangos fel pe baent wedi defnyddio cyfieithiad Tyndale, a chan fod argraffwasg ar gael er 1450, nid oedd esgus dros beidio â chael Beibl Cymraeg. Dyna a ddywedodd Syr John Prys yn 1546:

> Ac yn awr y rhoes Duw y print i'n mysg ni er amlhau gwybodaeth ei eiriau bendigedig ef, iawn inni, fel y gwnaeth holl gristionogaeth heb law, gymryd rhan o'r daioni hwnnw gyda 'nhw, fel na bai ddiffrwyth rhodd gystal â hon i ni mwy nag i eraill.

10 William Salesbury. Cerflun o gofgolofn y cyfieithwyr yn Llanelwy.

A'r un oedd neges William Salesbury yn 1547 ond fod ei nod i'r Cymry yn fwy pendant:

> Pererindodwch yn droednoeth at ras y Brenin a'i gyngor i ddeisyf cael cennad i gael yr Ysgrythur lân yn eich iaith, er mwyn y cynifer ohonoch or nad yw'n abl nac mewn cyffelybwriaeth i ddysgu Saesneg … mynnwch yr Ysgrythur yn eich iaith.

Gallwn glywed o hyd y taerineb yn llais Salesbury. Ond yr oedd meini tramgwydd ar y llwybr i'r sawl a fyddai'n pererindota'n droednoeth at y Brenin.

Yn yr 1530au, yr un adeg ag yr oedd llywodraeth Harri VIII yn troi'r Eglwys yn Eglwys annibynnol ar Rufain, yr oedd y llywodraeth yn cryfhau'i gafael ar y deyrnas, ac yn uno rhannau gwahanol y deyrnas yn dynnach wrth rym ac awdurdod y Brenin. Yn 1536 ac 1542 pasiwyd dwy ddeddf yn llwyr ad-drefnu llywodraeth yng Nghymru. Dyma'r deddfau a elwir heddiw 'Y Ddeddf Uno'. Ymhlith llawer o newidiadau mawrion, gwaharddwyd defnyddio'r Gymraeg ym mywyd cyhoeddus Cymru. O hynny allan rhaid oedd dysgu Saesneg os oedd dyn am gael swydd gyhoeddus yng Nghymru. Wrth gwrs, yr oedd bron pawb yn siarad Cymraeg ac fe gadwodd y Gymraeg ei lle fel iaith diwylliant ar hyd y ganrif. Ond roedd hi wedi ei diraddio'n swyddogol, ac roedd rhai Cymry hirben yn gweld yn eglur beth oedd wedi digwydd. Mae Salesbury yn sôn am 'gynnal yr Iaith sydd yn cychwyn ar dramgwydd'. Pan ddaeth y Llyfr Gweddi Gyffredin yn fater o ddeddf gwlad yn 1549, Saesneg yn unig a ganiateid yn eglwysi Cymru. Am y tro cyntaf erioed clywid sain y Saesneg bob Sul ym mhob cwr o Gymru.

Eithriad, wrth gwrs, oedd William Salesbury. Cyfuniad prin a rhyfedd ydoedd o Gymro gwlatgar yr oedd ei galon yn gwaedu dros ddirywiad y Gymraeg, o Ddyneiddiwr a oedd yn awyddus i ddod â manteision addysg newydd Ewrop i Gymru, ac o Brotestant selog a oedd yn awyddus i achub enaid pob Cymro a Chymraes trwy gyfrwng Ysgrythurau yn Gymraeg. Aeth Salesbury ati i gyhoeddi llyfrau Cymraeg i foderneiddio diwylliant hynafol a hen-ffasiwn y Cymry, ac i ddangos hefyd fod y Gymraeg yr un mor ystwyth, mor gyflawn a helaeth ei geirfa ag ieithoedd modern Ewrop, fel Eidaleg neu Saesneg. Byddai angen amser maith arno i gyfieithu'r Ysgrythurau i'r Gymraeg, ond fel tamaid i aros pryd cyhoeddodd yn 1551 gasgliad o'r enw *Kynniver Llith a Bann* (hynny yw 'Cynifer o lithiau a phenodau') a oedd yn cynnwys detholiad o ddarlleniadau neu lithiau o'r Llyfr Gweddi Gyffredin y gallesid (pe na

11 Wynebddalen *Kynniver Llith a Bann* gan William Salesbury, 1551.

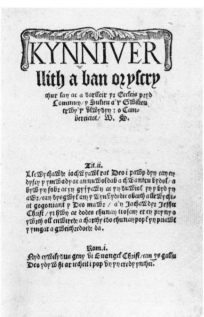

waherddid y Gymraeg) eu darllen yn yr eglwysi. Cyfieithodd ei destunau o'r ieithoedd gwreiddiol, a chredai mai trwy'r Gymraeg yn unig y gellid achub enaid y Cymro. Nid oedd gobaith am ganrif a mwy i gael pob Cymro i ddysgu'r Saesneg yn ddigon da i ddeall crefydd, ac i ddarllen y Beibl yn Saesneg. Yn y cyfamser byddai eneidiau tair cenhedlaeth yn mynd i uffern. Apeliodd Salesbury yn ei ragymadrodd ar i'r esgobion ymgymryd â'r gwaith, ond nid oes sôn iddo gael unrhyw ymateb, ac yn 1553 chwalwyd holl obeithion Diwygwyr fel Salesbury yn sgîl marwolaeth Edward VI, a'i olynu gan ei chwaer Mari Tudur, a oedd yn Babyddes selog a di-ildio. Aeth rhai o gyfeillion Salesbury, dynion fel Richard Davies, brodor o'r Gyffin, Conwy, i ymguddio, ac erbyn 1555 roedd Davies yn Frankfurt yn yr Almaen. Aeth eraill i Genefa a dod o dan ddylanwad Jean Calvin yno. Yn Lloegr a Chymru, Lladin oedd iaith yr eglwysi unwaith eto, ac anghofiwyd am gyfieithu'r Beibl.

Byr oedd teyrnasiad Mari, a bu farw yn 1558 ar ôl pum mlynedd ar yr orsedd, pum mlynedd a gofid gan Ddiwygwyr fel blynyddoedd o losgi Diwygwyr wrth y stanc – 'y merthyron Protestannaidd'. Yn 1558 daeth chwaer y Frenhines Mari, sef Elisabeth I, i'r orsedd, a buan yr ailsefydlwyd Eglwys Anglicanaidd a oedd yn gymedrol ei Phrotestaniaeth. Rhoddwyd trefn ar yr Eglwys mewn dwy ddeddf seneddol yn 1559 ac 1563. Yn y deddfau hyn rhoddwyd pwyslais ar unffurfiaeth a disgyblaeth; rhaid oedd i bawb fynd i'r eglwys a chydymffurfio, a dilyn y gwasanaethau yn rheolaidd yn eglwys y plwyf. Saesneg eto fyddai iaith y gwasanaeth yng Nghymru, fel yn Lloegr. Gan fod y fath bwyslais ar gydymffurfio, syndod nid bychan yw deall bod y senedd wedi pasio deddf newydd yn 1563 yn caniatáu darllen yr Ysgrythurau a'r Llyfr Gweddi Gyffredin yn Gymraeg yn yr eglwysi yng Nghymru. Ac nid hynny'n unig; yr oedd hyn yn orfodol ble bynnag yr oedd y Gymraeg

12 Y Lloran Uchaf, Llansilin. Ffermdy gelynion William Morgan pan oedd yn ficer Llanrhaeadr.

yn iaith arferedig. Yn wir, mynnodd y ddeddf fod yn rhaid i esgobion Cymru ac esgob Henffordd (rhaid cofio bod rhannau o Sir Henffordd am y ffin â Chymru yn Gymraeg eu hiaith yn 1563) drefnu'n ddiymdroi i gael cyfieithiadau o'r Ysgrythurau ac o'r Llyfr Gweddi. Mae'n ddirgelwch sut y cafwyd y fath newid yn agwedd y llywodraeth. Barn yr Athro Glanmor Williams am y ddeddf yw:

Gellid yn iawn ddadlau fod Deddf 1563 er cyfieithu'r Beibl cyn bwysiced o ran ei chanlyniadau â Deddf Uno 1536.

Sicrhaodd y ddeddf newydd fod yna barch ac ystyr i lyfrau Cymraeg, a bu'n gyfrifol am wneud Cymru'n wlad drwyadl Brotestannaidd. Hefyd fe roddodd sylfaen i'r Gymraeg ddatblygu i fod yn iaith fodern, i bontio'r bwlch anodd rhwng diwylliant yr Oesoedd Canol a'r Oesoedd Modern.

Dywedwyd eisoes fod cyfaill Salesbury, Richard Davies, wedi ffoi i Frankfurt, ond daeth yn ôl yn 1558, yn ŵr o gryn ddylanwad ymhlith y Diwygwyr. Gwnaethpwyd ef am gyfnod byr yn Esgob Llanelwy, ond yn 1561 cafodd ei drosglwyddo i esgobaeth fwyaf Cymru, Tyddewi, ac yno y bu hyd ei farw yn 1581. Roedd yn gyfaill i'r Archesgob newydd, Matthew Parker, a hefyd i brif gynghorydd y Frenhines Elisabeth, William Cecil (yntau yn hanu o deulu Seisylliaid Alltyrynys, ac yn ymwybodol o'i dras Cymreig). Mae'n eithaf posibl (er nad oes prawf o gwbl) mai Richard Davies a oedd yn bennaf cyfrifol am newid barn y llywodraeth ac am lywio'r ddeddf trwy'r Senedd. Sut y llwyddodd i ddarbwyllo dynion fel Parker a Cecil? Ni allwn ond dyfalu. Roedd gan Parker ddiddordeb yn hanes yr Eglwys yn Ynysoedd Prydain. Roedd y syniad bod cyfieithiad o'r Ysgrythurau i iaith yr Hen Frythoniaid yn goroesi yn rhywle, o ddiddordeb dwfn iddo. Mae'n debyg y byddai Richard Davies wedi dadlau bod egwyddorion Protestaniaeth yn gryfach nag egwyddorion unffurfiaeth neu gydymffurfiaeth mewn iaith. Hynny yw, y peth pwysicaf i Gristion oedd ei fod yn cael clywed neges yr Efengyl yn ei iaith ei hun — dyna'r unig ffordd i achub pob enaid gwerthfawr i Grist. Ni ellid gwneud hyn yng Nghymru ond trwy'r Gymraeg. Beth pe bai'r genedl yn parhau i fod yn Gymry Cymraeg? Byddent o leiaf yn Brotestaniaid Cymraeg, ac roedd undod crefyddol mewn teyrnas yn bwysicach peth nag undod iaith. Mae'n debyg mai dadleuon tebyg i'r rheini a roddwyd gerbron y Saeson i'w darbwyllo. Ond gellir tybio hefyd fod rhyw newid eisoes yn yr awyr cyn 1563, newid hinsawdd a'i gwnaeth yn bosibl i wireddu'r newid agwedd mor ddidrafferth. Eisoes yn esgobaeth Llanelwy yn 1561 fe drefnwyd i ddarllen darnau o'r Beibl yn y Gymraeg ar ôl eu darllen yn Saesneg. Mae'n bosibl fod rhan o wasanaeth yr Eglwys a elwir y 'Litani' wedi ei hargraffu yn Gymraeg yn Llundain yn 1562, ond bod pob copi ohoni wedi mynd ar goll. O leiaf, cafwyd caniatâd i'w hargraffu yn y flwyddyn honno. Mae hyn yn gwneud y newid polisi yn 1563 yn fwy credadwy. Ni ddylid bychanu ei bwysigrwydd.

Os mai Richard Davies a luniodd ddeddf 1563, yna yr oedd yn llawn gobaith a hyder. Gorchymyn y ddeddf oedd bod yn rhaid i'r esgobion gael y Beibl cyfan a'r Llyfr Gweddi yn Gymraeg erbyn 1567 a'u defnyddio yn syth wedi hynny.

Aeth Richard Davies ati yn ddiymdroi i gasglu llenorion o'i gwmpas yn ei blas yn Abergwili, ger Caerfyrddin, un o blasau esgobion Tyddewi, ac erbyn 1567 yr oedd rhyw gymaint o'r gwaith wedi ei orffen – cyhoeddwyd y Testament Newydd a'r Llyfr Gweddi Gyffredin yn Gymraeg. Thomas Huet, brodor o Sir Frycheiniog, a phennaeth y cabidwl yn yr Eglwys Gadeiriol yn Nhyddewi, a gyfieithodd Lyfr y Datguddiad. Richard Davies a gyfieithodd nifer o epistolau Paul, ond Salesbury fwy na thebyg oedd biau'r rhan fwyaf o'r gwaith mawr, y Testament a'r Llyfr Gweddi. Mae'n rhaid cofio bod Davies yn gorfod gweithio'n brysur fel esgob, a'i fod yn aelod o'r pwyllgor a oedd yn paratoi'r Beibl Saesneg, y 'Bishops' Bible', ar gyfer y wasg. Richard Davies yw awdur y cyflwyniad i'r Testament Newydd yn ei 'Epistol at y Cymry'. Yn ogystal â'r dadleuon Protestannaidd arferol a chyfarwydd, y mae'r esgob yn tynnu sylw at ddadleuon nad ydym ni hyd yma wedi sôn amdanynt, ond sydd yn gymorth i ni ddeall peth o gymhelliad dynion fel Davies a Salesbury (a William Morgan, o ran hynny) a'u cyd-eglwyswyr yn y cyfnod.

13 Yr Eglwys Gadeiriol yn Llanelwy, lle claddwyd yr Esgob Morgan. Yma hefyd y treuliodd Richard Parry gyfnod fel esgob.

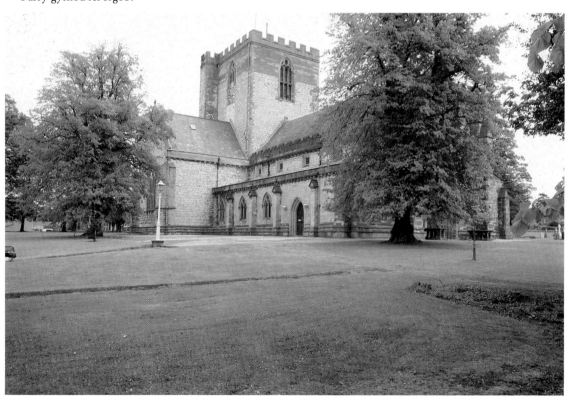

Y ddadl y mae'r esgob yn ei defnyddio yw bod gan y Cymry genhadaeth arbennig yn y byd, bod ganddynt eu cyfraniad arbennig i'w wneud i'r Eglwys yn Ynysoedd Prydain. Daeth Cristnogaeth i Brydain gyntaf yn fuan wedi'r Croeshoeliad, ac yn union syth o Balesteina trwy Joseff o Arimathea, yr Iddew a ofalodd am gladdu Crist. Sefydlodd Joseff Eglwys ym Mhrydain a oedd yn gwbl annibynnol ar Rufain, a hynny ymhlith cyndadau'r Cymry, y Brythoniaid. Gwir bod y Saeson wedi dod i'r ynysoedd hyn yn baganiaid, a'u bod yn y pen draw wedi derbyn Cristnogaeth trwy Awstin o Gaer-gaint, a oedd yn gynrychiolydd y Pab. Gwir hefyd bod y Normaniaid wedi cryfhau gafael Eglwys Rufain ar yr Eglwys yn yr ynysoedd hyn. Ond ar ôl canrifoedd o ddallineb a chaethiwed, yr oedd mab i Gymro, y Brenin Harri VIII, wedi arwain yr Eglwys allan o grafangau'r Pab ac wedi adennill annibyniaeth yr Eglwys. Y Cymry oedd unig ddisgynyddion yr hen Frythoniaid, yr unig rai a oedd yn parhau i siarad eu hiaith. Hwy felly oedd yr unig wir ddolen gyswllt rhwng yr Eglwys Anglicanaidd bresennol a'i dechreuadau. Onid oedd parch yn ddyledus, felly, i'r Cymry a'u hiaith? Myth, wrth gwrs, neu ffug-hanes, ydyw'r chwedl, ond myth a oedd yn help i wneud y Cymry'n Brotestaniaid ac i wneud i'r Saeson barchu'r Beibl Cymraeg.

Tamaid i aros pryd oedd y Testament Newydd yn 1567. Ebe Richard Davies:

> Dyma'r naill ran yn barod, yr hon a elwir y Testament Newydd; tra fyddwch yn aros (trwy Dduw ni bydd yn hir hynny) y rhan arall, a elwir yr Hen Destament.

Ond hir fu'r aros. Mae'n debyg bod Salesbury a Davies wedi mynd ymlaen â'r gwaith yn Abergwili ac ymlafnio â'r gwaith aruthrol anodd o gyfieithu'r Hen Destament. Ond wedi peth amser aeth y gwaith i'r gwellt. Anodd gwybod beth oedd y rheswm paham. Genhedlaeth yn

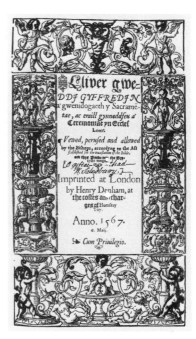

14 Wynebddalen Llyfr Gweddi Gyffredin 1567.

ddiweddarach yr oedd Syr John Wynn o Wydir (gŵr y byddwn yn dod ar ei draws yn y stori hon fwy nag unwaith) yn honni bod Davies a Salesbury wedi anghyd-weld ynglŷn ag ystyr un gair a bod hynny wedi bod yn ddigon i beri iddynt roi'r ffidil yn y to. Efallai fod gronyn o wir yn hynny yn symbolaidd, hynny yw bod Davies wedi hen flino ar fympwyon academaidd William Salesbury, ac yn rhag-weld y byddai ei syniadau rhyfedd am orgraff yn gwneud yr Hen Destament yn annarllenadwy. Hefyd ni chafodd y Testament Newydd na'r Llyfr Gweddi fawr o groeso gan y Cymry, ac ni allai hynny ond digalonni'r cyfieithwyr yn Abergwili.

Y prif fai oedd orgraff Salesbury, ei ffordd ryfedd o sgrifennu'r Gymraeg. Roedd dull y Cymry o sgrifennu'r Gymraeg yn weddol sefydlog, yn fwy felly nag orgraff llawer o ieithoedd Ewrop ar y pryd. Ond mynnai Salesbury newid pethau i ddangos tarddiad geiriau a'u cysylltiad â'r Lladin. Nid oedd *sacramentau* a *seremonïau* yn ddigon da, rhaid oedd sgrifennu *sacramentae* a *seremoniae*. Gan fod *eglwys* yn dod o *ecclesia* rhaid oedd sgrifennu *eccles,* gan dybio rywsut y byddai'r sawl a fyddai'n darllen y Testament a'r Llyfr Gweddi yn gallu ei ynganu fel Cymraeg. Ceisiai Salesbury fodloni siaradwyr tafodieithoedd Gogledd a De, gan roi geiriau'r ddwy dafodiaith i mewn yn gymysg â'i gilydd. Er mwyn dangos helaethrwydd geirfa'r Gymraeg mynnodd ddefnyddio'r amrywiaeth helaethaf posibl o eiriau, yn lle chwilio am gysondeb ac eglurder. Canlyniad hyn oll oedd testun a oedd yn anarllenadwy ac, o'i ddarllen, yn annealladwy. Tystiai rhai mai poen i'r glust oedd clywed personiaid plwyf yn straffaglu i'w ddarllen ar y Sul. Eto, dylid cofio bod William Morgan yn frwd ei ganmoliaeth i gyfieithiad Salesbury.

Barn Syr John Wynn oedd bod cryn swrn o'r gwaith o gyfieithu'r Hen Destament wedi ei wneud pan ddigwyddodd yr anghytundeb rhwng Davies a Salesbury, bod y deunydd wedi'i drosglwyddo i William Morgan, a bod hynny wedi ysgafnu'r baich gryn dipyn iddo. Ond pan ysgrifennodd y geiriau hynny, yr oedd Wynn wedi troi'n elyn i William Morgan ac roedd yn awyddus i fychanu a dibrisio ei gyfraniad. Mae'n amhosibl dibynnu ar eiriau John Wynn. Mae'n amlwg bod Richard Davies yn gymeriad cynnes a chymdeithasol, yn Brotestant brwd a ddioddefodd erledigaeth dros ei ffydd, ond ei fod yn Gymro brwd hefyd. Noddai ddysg y beirdd a'r cywyddwyr, a cheisiai benodi Cymry da i swyddi yn yr Eglwys. Aeth Syr John Wynn ymhellach na hynny a dweud bod Richard Davies yn awyddus i benodi gwŷr o Wynedd, o'i fro ei hun, i swyddi da:

> Loving entirely the North Wales men, whom he placed in great numbers ... having ever this saying in his mouth ... I will plant you, North Wales men, grow if you list.

15 Syr John Wynn o Wydir, noddwr a chyfaill yr Esgob Morgan. Engrafiad gan R. Vaughan, c. 1700.

Un o'r bechgyn addawol o Wynedd y mynnodd Davies eu plannu yn ei esgobaeth yn 1572 oedd William Morgan, bachgen nid yn unig o Wynedd, ond o Benmachno, heb fod ymhell o gartref Davies yn is i lawr Dyffryn Conwy. Penodwyd Morgan yn ficer Llanbadarn Fawr, ger Aberystwyth, Sir Aberteifi. Ef oedd y dyn a fyddai'n dod â'r gwaith mawr o gyfieithu'r Beibl i ben, ond nid cyn y flwyddyn 1588.

PWY OEDD WILLIAM MORGAN?

[Mae'r Beibl] yr awrhon, yn ddiweddar, wedi'i gyfieithu, a'i droi i'r Gymraeg, drwy boen a dyfal ddiwydrwydd y gwir ardderchog ddysgedicaf ŵr Dr. Morgan, i bwy un mae holl Gymru byth yn rhwymedig, nid yn unig am ei boen a'i draul yn hyn, cyd bai hynny clodfawr ac addas o ddiolch, eithr hefyd am iddo ddwyn y cyfryw drysor, sef gwir a phurlan air Duw, i oleuni yn gyffredinol i bawb, 'rhwn ydoedd o'r blaen guddiedig rhag llawer, gan adferu eilwaith i'w pharch a'i braint iaith gyfrgolledig ac agos wedi darfod amdani.

(Huw Lewys, *Perl Mewn Adfyd*, 1595)

Mae cryn ansicrwydd ynglŷn â dyddiad geni William Morgan, a'r farn gyffredinol erbyn heddiw yw mai 1545 oedd y flwyddyn ond nid oes unrhyw ansicrwydd ynglŷn â'r man. Fe'i ganed yn y Tŷ Mawr (y Tyddyn Mawr, ebe rhai), Wybrnant, plwyf Penmachno, lle mae'r plwyf hwnnw yn agosáu at blwyf Dolwyddelan, yn yr hen Sir Gaernarfon, yng Ngwynedd. Mae'n debyg mai un o bump o blant ydoedd, yr ail fab i John ap Morgan a'i wraig Lowri. Tenant *copyhold* ar ystad Gwydir, ger Llanrwst, oedd John ap Morgan, ond tenant gweddol gefnog, yn ddisgynnydd i'r un math o deulu â theulu Gwydir ei hun, hen fonedd Gwynedd yn yr Oesoedd Canol. Roedd yn ddisgynnydd i o leiaf ddau o sylfaenwyr 'Pymthecllwyth Gwynedd', sef Hedd Molwynog a Nefydd Hardd. Roedd

16 Yr Esgob William Morgan. Darlun dychmygol mewn golch pen ac inc gan T. Prytherch, 1907.

gwraig John ap Morgan, Lowri, yn ferch i William John ap Madoc ap Ifan Tegin o'r Diosgydd ym Metws-y-coed, yn yr un ardal, ac yn ddisgynnydd i deulu hynafol Marchudd ap Cynan. Cofid yr achau hyn yr adeg honno, ac nid mater o falchder oeddynt bob amser. Pan oedd Syr John Wynn yn cecru'n gas gyda William Morgan byddai'n dannod iddo ei fod yn ddisgynnydd i gaethion neu 'bondmen', a hynny ar sail traddodiad (sydd yn ymddangos i ni heddiw yn hollol chwerthinllyd) bod Nefydd Hardd, am ryw amryfusedd ganrifoedd ynghynt, wedi ei ddiraddio o fod yn fonheddwr i fod yn gaeth.

oedd yn ffodus i gydio fferm wrth fferm i greu ystad (fel Wynniaid Gwydir), a'r mwyafrif a oedd yn feibion iau ac yn denantiaid yn talu rhent blynyddol i'r ystadau mawrion. Roedd hen draddodiad di-sail yn honni bod Wybrnant yn ardal lle'r oedd yr hen ffydd Gatholig wedi goroesi, a bod William Morgan wedi ei addysgu'n fachgen gan hen fynach a oedd wedi gorfod ymadael ag un o'r mynachlogydd lleol.

17 Plas Maenan, Dyffryn Conwy. Cartref uchelwr o gyfnod yr Esgob Morgan.

18 Brithdir Mawr, Cil-cain, c. 1590. Cartref mân ysweiniaid gogledd-ddwyrain Cymru yng nghyfnod yr Esgob Morgan.

O'u cymharu â theuluoedd fel Wynniaid Plas Gwydir, digon tlawd oedd teulu Tŷ Mawr, Wybrnant, ac eto roeddynt yn ddigon cefnog i allu fforddio addysg prifysgol i un o'r meibion am flynyddoedd, pan oedd hynny'n beth eithriadol o brin ymhlith teuluoedd o Gymry. Mân foneddigion oeddynt, yn byw mewn cyfnod pan oedd cryn wahaniaeth rhwng yr ychydig a

Un peth a gafodd yn ei ardal enedigol oedd Cymraeg rhywiog a chyfle i ymgydnabod â diwylliant y beirdd. Dangosai hoffter mawr o'u gwaith ar hyd ei oes, ac fe gadwyd nifer o gywyddau yn canu ei glodydd.

Sut le oedd Tŷ Mawr, Wybrnant? Yn ffodus, y mae'r tŷ yn sefyll hyd y dydd heddiw, ac yn agored i'r cyhoedd. Saif ar ochr nant ym mlaenau Cwm Wybrnant ar lannerch wyrddlas agored, a'r llethrau coed o'i gwmpas. Aeth yr hen dŷ yn adfail rywbryd yn y 18 ganrif, ond fe'i prynwyd gyntaf gan Arglwydd Mostyn ac wedyn gan Arglwydd Penrhyn, a hwnnw a'i hatgyweiriodd yng nghanol y 19 ganrif, a gosod carreg goffa i

19 Tŷ Mawr, Wybrnant, Penmachno. Cartref William Morgan.

William Morgan uwchben y drws. Yn ystod y ganrif bresennol daeth Tŷ Mawr, ynghyd â llawer o ystadau'r Penrhyn, i feddiant yr Ymddiriedolaeth Genedlaethol, a hwy sydd â gofal am y tŷ heddiw. O'r tu allan, gyda'i do llechi a'i ffenestri cymharol fodern, mae'r tŷ yn rhoi'r argraff mai ffermdy o ganol y 19 ganrif ydyw, ond y mae muriau'r tŷ yn llawer hŷn na hynny, y rhan helaethaf ohonynt yn mynd yn ôl i ddechrau'r 17 ganrif. Mae peth anghytundeb wedi bod ymhlith yr arbenigwyr ynglŷn ag oed y muriau, ond o ddilyn hen ddisgrifiadau o'r tŷ fel yr oedd cyn yr atgyweirio gan Arglwydd Penrhyn, mae lle i gredu fod cyplau o bren yng nghanol y tŷ yn mynd yn ôl i'r Oesoedd Canol. Dyna oedd barn yr hanesydd a'r pensaer lleol,

Owain Gethin Jones, 'Gethin'. Uwchben yr hen ddrws yr oedd arysgrif hynafol yn dweud 'Heb Dduw Heb Ddim. Duw a Digon', ac ym marn Gethin gellid cymharu'r cyplau a geid yn y Tŷ Mawr â chyplau tebyg a geid mewn tyddynnod cyfagos a oedd yn sicr yn mynd yn ôl i'r Oesoedd Canol. Beth am y wlad o gwmpas Tŷ Mawr? Faint o newid fu ynddi hi er amser William Morgan? Yn yr hen amser, wrth gwrs, nid oedd yno ddim o'r fforestydd o binwydd duon a geir heddiw ar y bryniau, a lle mae pinwydd heddiw, yr oedd llaweroedd o fân dyddynnod, cartrefi bugeiliaid y llethrau.

Cawsom achos eisoes i sôn am Syr John Wynn o Wydir. Yr oedd William Morgan yn fab i denant ar ystadau Gwydir, ac yn sicr dyma un o gysylltiadau pwysicaf bywyd William Morgan. Roedd yn gymydog ac yn gyfaill i Wynniaid

20 Plas Gwydir, ar draws yr afon o Lanrwst. Cartref noddwyr William Morgan.

21 Capel teulu Gwydir yn eglwys Llanrwst. Engrafiad ar bren gan Hugh Hughes, 1823.

Gwydir ar adeg o ffyniant i'r teulu, ac ar adeg pan oedd Wynniaid Gwydir ymhlith y teuluoedd mwyaf galluog a diwylliedig ac uchelgeisiol yng Ngogledd Cymru – nage, yng Nghymru benbaladr. I weld rhwysg a gogoniant y Wynniaid ni raid ond ymweld â Llanrwst yn Nyffryn Conwy, a gweld eu beddfeini yn eglwys y plwyf, neu groesi afon Conwy dros y bont hardd i Blas Gwydir ac i gapel bychan Gwydir Uchaf. Gwir bod y plas wedi ei atgyweirio a'i ailadeiladu gryn dipyn er amser John Wynn, ond mae'n ddigon agos at arddull y gwreiddiol i roi syniad eglur o gyfoeth boneddigion Gwynedd yn y 16 ganrif. Cadwai Wynniaid Gwydir gysylltiad agos â'r llys brenhinol, a chefnogi Protestaniaeth, a noddi'r ddysg newydd a'r celfyddydau, gan

gynnwys dysg draddodiadol y beirdd. Hyd at ganol y ganrif ddilynol, Cymraeg oedd eu hiaith lafar er eu bod yn rhoi addysg Saesneg i'w plant er mwyn iddynt ddod ymlaen yn y byd. Fel y cawn weld, byddai perthynas William Morgan â'r Wynniaid yn troi yn y pen draw i fod yn un stormus a chwerylgar. Ond hyd at flynyddoedd olaf ei fywyd, mantais fawr iddo oedd y ffaith ei fod dan nawdd teulu Gwydir.

Arfer y teulu oedd gwahodd bechgyn galluog o blith plant cymdogion neu denantiaid o gryn sylwedd a chyfoeth i gael eu haddysg wrth draed tiwtoriaid cydag aelodau o'r teulu, a hynny mewn stafelloedd yn yr hen borth, darn o'r plas gwreiddiol sydd yn sefyll yn ddigyfnewid hyd y dydd heddiw. Roedd y ddysg yn ddysg newydd, wrth gwrs, ond roedd yr arfer hwn o gael plant i mewn o deuluoedd eraill yn mynd yn ôl i'r Oesoedd Canol, pryd y byddai bachgen bonheddig yn mynd yn *page* neu'n facwy i ryw lys cyfagos i ddysgu moesau a bod yn annibynnol. Mater o lwc ryfeddol i William Morgan oedd cael addysg ar aelwyd teulu mor ddiwylliedig, a mater o lwc hefyd oedd iddo ddod i wybod, trwy Wynniaid Gwydir, am yr addysg y gellid ei chael yn y brifysgol yng Nghaer-grawnt. Roedd gan Syr John Wynn o Wydir ewyrth, Dr. John Wynn neu Gwynn, a

22 Adeiladau canoloesol Coleg Sant Ioan, Caer-
grawnt. Engrafiad gan S. Sparrow, c. 1820.

fu'n gymrawd yng Ngholeg Sant Ioan, Caer-
grawnt, er y flwyddyn 1548, a phan fu farw yn
1574 rhoes lawer o eiddo yn waddol i'r coleg
hwnnw. Teulu uchelgeisiol oedd y Wynniaid, yn
awyddus i'w meibion fynd naill ai i'r brifysgol
neu i golegau'r Gyfraith, yr Inns of Court yn
Llundain. Wedi Deddfau Uno 1536 ac 1542 daeth
yn bwysig i foneddigion wybod manylion y
gyfraith Seisnig. Gan fod Dr. John Gwynn wedi
bod yng Nghaer-grawnt er y flwyddyn 1548,
mae'n rhaid bod William Morgan, wrth fynychu
ei wersi yng Ngwydir, yn gwbl gyfarwydd â
safonau addysg Caer-grawnt ac yn gwybod bod
Coleg Sant Ioan ar flaen y gad yn yr ymgyrch
Brotestannaidd i ddiwygio Lloegr. Ni wyddom a
gafodd William Morgan unrhyw gymorth

ariannol gan y Wynniaid i fynd i Gaer-grawnt,
ond nid oes eisiau esbonio paham yr aeth William
i Goleg Sant Ioan yn fyfyriwr yn 1565.

Roedd William Morgan bryd hynny tua ugain
oed, ychydig bach yn hŷn na'r darpar-fyfyrwyr
fel arfer, ond nid yn eithriadol felly. Mae'n debyg
bod mab hynaf Tŷ Mawr, Wybrnant, wedi aros
gartref i weithio ar y fferm, gan adael yr ail fab i
fynd i'r coleg, a'i fryd fwy na thebyg ar fynd yn
offeiriad. Arhosodd yng Nghaer-grawnt o 1565 i
1571. Roedd gan William un ffordd o leihau'r
baich ariannol ar ei dad, sef trwy weithio yn y
coleg fel *sizar*, hynny yw, math o 'was bach' i
weini ar fyfyrwyr gwell eu byd neu fyfyrwyr o
bendefigion yn y coleg. Ar y dechrau gelwid
William yn *sub-sizar* ac wedyn yn *proper sizar*, a
hyn i gyd tra oedd yn gweithio am ei radd Baglor
yn y Celfyddydau — B.A. Roedd ganddo nifer o

23 Eglwys Gadeiriol Ely, lle'r ordeiniwyd William Morgan yn esgob. Darlun dyfrliw gan J. M. W. Turner, 1797.

fân ddyletswyddau i'w gwneud o gwmpas stafelloedd y myfyrwyr mwy ffodus, a hynny mae'n siŵr yn prinhau'r amser a oedd ganddo i ddilyn ei ddiddordebau ei hun. Ond roedd ganddo ddigon o amser i gyfeillachu â chyfeillion yn y coleg, rhai ohonynt yn Gymry a fyddai wedi hynny yn chwarae rhan bwysig yn ei fywyd. Tri o'r Cymry ifainc hyn oedd Richard Vaughan o Nyffryn yn Llŷn, a ddaeth wedyn yn Esgob Bangor, Caer, a Llundain; Edmwnd Prys o Lanrwst, a addysgwyd hefyd yng Ngwydir, ac a ddaeth yn Archddiacon Meirionnydd; a Gabriel Goodman o Ddinbych a ddaeth yn Ddeon Westminster. Ymhlith ei gyfeillion eraill yng Nghaer-grawnt roedd William Hughes a ddaeth yn Esgob Llanelwy, a Hugh Billot (neu Bellott) a ddaeth yn Esgob Bangor a Chaer. Roedd yn gylch deallus a diddorol, yn cyfuno Protestaniaeth bybyr a dyneiddiaeth addysg, ac yn achos rhai, o leiaf, fel Prys a Morgan, hoffter o farddoniaeth Gymraeg. Mae'r ffaith fod cymaint ohonynt wedi llwyddo i gael swyddi uchel yn yr Eglwys yn arwydd bod Cymry yn gallu dod i'r brig, yn wahanol i'r cyfnod cyn y Diwygiad Protestannaidd. Nid yw'n syndod bod offeiriaid o Gymry pybyr yn y 18 ganrif yn edrych yn ôl at deyrnasiad Elisabeth I fel rhyw fath o oes aur pryd yr oedd parch i'r Gymraeg a safle i Gymry yn yr Eglwys yng Nghymru.

Rhwng 1565 ac 1568 gwnaeth William ei radd gyntaf fel baglor, a'i diwtor oedd Sais o Swydd Derby o'r enw John Dakyns. Byddai wedi dysgu Mathemateg, Rhesymeg, Rhethreg ac Athroniaeth , ac astudid cryn dipyn o Ladin yn y broses. Wedyn, o 1568 i 1571 gwnaeth ei ail radd, Meistr yn y Celfyddydau, neu M.A. Ond cyn mentro ar ei gwrs M.A. penderfynodd fynd yn offeiriad ac fe'i hordeiniwyd yn weinidog yn Eglwys Gadeiriol Ely yn 1568. Mae'r eglwys hon yn agos at Gaer-grawnt, eglwys hynod drawiadol sy'n sefyll fel llong yng nghanol corstir dyfrllyd *Fens* dwyrain Lloegr.

I wneud ei radd Meistr rhaid oedd iddo astudio

24 Beibl Hebraeg a fu ym meddiant yr Esgob Morgan, yn cynnwys nodiadau Cymraeg yn ei lawysgrifen ar ystyr ambell air Hebraeg.

rhagor o Athroniaeth, Seryddiaeth, Groeg, Hebraeg, a Diwinyddiaeth. Astudiodd Hebraeg — iaith yr Hen Destament — o dan athro hynod o fedrus, Antoine Chevallier, Protestant o Ffrancwr a oedd wedi ffoi i'r Almaen yn ystod teyrnasiad Mari Tudur, ac a oedd wedi bod yn athro Ffrangeg ar y Frenhines Elisabeth ei hun. Mae'n bosib bod Chevallier wedi dysgu Ffrangeg iddo hefyd, gan fod ambell un o gyfoeswyr William Morgan yn dweud ei fod yn gwybod yr iaith honno. Daeth y ddysg Hebraeg a gafodd ganddo yn fanteisiol iawn wrth iddo gyfieithu'r Hen Destament, fel y dywed y bardd Siôn Tudur wrth ddiolch am y Beibl ar gywydd:

> Cweiriaist, ordeiniaist air Duw,
> Cost dibrin troi'r tecst Ebryw.
> Mil a chwechant, tyfiant teg,
> Oed Duw oedd, onid deuddeg,
> Pan y troist bob pennod draw,
> I'r bobl drist, o'r Beibl drostaw.

Y mae copi o Feibl Hebraeg yn perthyn i William Morgan wedi goroesi. Bu ym meddiant Arglwyddes Llanofer ac y mae heddiw yn un o drysorau Llyfrgell Genedlaethol Cymru yn Aberystwyth. Gellir gweld ar ymylon y ddalen nodiadau manwl William Morgan ar ystyron geiriau Hebraeg.

> "Canmolwn yn awr y gwŷr enwog"
> WILLIAM MORGAN 1541-1604,
> Bishop of St.Asaph, who translated the Bible from the original languages into Welsh.
>
> EDMWND PRYS 1541-1623,
> Archdeacon of Meirioneth, who translated the Hebrew Psalms into Welsh verse.
>
> Members of this College, lifelong friends, and fellow-workers in a great task.
>
> "Disgwyliaf o'r mynyddoedd draw
> Lle daw im help 'wyllysgar"

25 Maen coffa i William Morgan ac Edmwnd Prys yng Ngholeg Sant Ioan, Caer-grawnt.

Roedd Prifysgol Caer-grawnt ar flaen y gad yn yr ymgais i efengylu Lloegr, ac roedd plaid y Piwritaniaid, sef y bobl a oedd yn fwyaf awyddus i symud Lloegr ar hyd llwybr Diwygiad, yn hynod gryf yno. Ond cadw at lwybr cymedrol rhwng y Diwygwyr a'r ceidwadwyr a wnaeth William a'i gyfaill Edmwnd Prys. Ysgrifennwyd cerdd ddychan gan Babydd o'r enw Stephen Valenger yn dwyn y teitl 'The Cuckold's Calendar', cerdd a oedd yn dychanu ysgolheigion a myfyrwyr yng Nghaer-grawnt, a thrwy chwarae ar eiriau gelwir William Morgan ynddi yn gybydd ariangar — 'More Gain'. Yr oedd Whitgift — a ddaeth wedi hynny'n Archesgob Caer-gaint — yng Nghaer-grawnt ar y pryd, ac y

mae'n bosibl ei fod wedi dod i wybod am alluoedd William Morgan a'i fod yn gymedrol ei ddaliadau crefyddol.

Aeth William ymlaen i raddio'n M.A. yn 1571. Ni wyddom yr union ddyddiad y gadawodd Gaer-grawnt, ond cadwodd ei gysylltiad â'i hen brifysgol, gan ddychwelyd yn 1578 i gymryd ei radd yn Faglor mewn Diwinyddiaeth (B.D.), ac yn 1583 enillodd radd Doethur mewn Diwinyddiaeth (D.D.). Daeth tro ar fyd yn 1572

26 Eglwys Llanbadarn Fawr, lle cafodd William Morgan ei swydd gyntaf. Darlun olew gan arlunydd Prydeinig Fictoraidd, 1895.

pan gafodd ei benodi gan Richard Davies, Esgob Tyddewi, yn ficer plwyf Llanbadarn Fawr, ger Aberystwyth. Arhosodd yn Llanbadarn am dair blynedd ac y mae'n fwy na thebyg mai yn ystod y cyfnod hwn y daeth ei alluoedd fel ysgolhaig i sylw Richard Davies ac i hwnnw yn ei dro sylweddoli mai Morgan oedd y gŵr i barhau â'r gorchwyl o gyfieithu'r Hen Destament, gorchwyl a oedd yn profi'n drech nag ef a William Salesbury.

Yn 1575 fe'i penodwyd yn ficer y Trallwng yn

27 Y Trallwng, lle bu William Morgan yn ficer.
Darlun olew gan Edward Dayes, 1803.

Sir Drefaldwyn gan ei hen gyfaill William
Hughes a oedd erbyn hynny'n Esgob Llanelwy.
Cafodd gryn ffafrau gan William Hughes a
roddodd iddo nifer o fywoliaethau eglwysig a
oedd yn 'segur-swyddi', sef swyddi lle nad oedd
angen ymweld â'r plwyfi o gwbl, dim ond derbyn
y gyflog a phenodi offeiriad arall i wneud y
gwaith ar gyfran fach o'r gyflog honno. Fel hyn y
cafodd Morgan segur-swyddi rheithoriaeth
Dinbych a Llanfyllin a Phennant Melangell.
Pwnc llosg, wrth gwrs, oedd amlblwyfiaeth, ac

yn naturiol roedd cryn feirniadu ar Eglwyswyr
am dderbyn llawer o blwyfi, ond yr oedd hawl
gan offeiriad i gael ambell swydd fel hyn, ac nid
oedd hynny'n anghyfreithlon.

Yn 1578 penodwyd ef gan yr Esgob Hughes yn
ficer Llanrhaeadr-ym-Mochnant yn Sir
Ddinbych, a chyda'r plwyf hwn yn bennaf y
cysylltir ei enw am mai yma y bu wrthi'n
cyfieithu'r Beibl ac am mai yma y bu hwyaf
mewn swydd, o 1578 i 1595. Roedd hefyd yn
rheithor plwyf bychan Llanarmon Mynydd
Mawr a saif ychydig uwchben Llanrhaeadr yn y
bryniau. Saif Llanrhaeadr ei hun mewn cilfach

35

28 Map printiedig o Gymru gan gyfoeswr i'r Esgob
    Morgan, Humphrey Lhuyd, c. 1580.

ymhlith bryniau dwyreiniol Mynydd y Berwyn
ar ffiniau siroedd Dinbych a Threfaldwyn.
Ffrydia afon Rhaeadr i lawr o raeadr uchaf
Cymru cyn arllwys i mewn i afon Tanat. Yn
union i'r dwyrain y mae plwyf Llansilin, ac
ychydig ymhellach i'r cyfeiriad hwnnw mae'r ffin
â Sir Amwythig. Fel cymaint o'r ardaloedd am y
ffin â Lloegr, yr oedd hon yn ardal gyfoethog ei
diwylliant Cymraeg. Yr un flwyddyn ag y
penodwyd ef yn ficer Llanrhaeadr cafodd
William Morgan ei benodi'n Bregethwr y
Brifysgol yng Nghaer-grawnt, arwydd o gryn
ffafr, ac arwydd ei fod yn dderbyniol gan

awdurdodau'r Eglwys. Mae hyn yn ei gwneud
hi'n eithaf posibl ei fod wedi pregethu ar ryw
adeg neu'i gilydd wrth groes Eglwys Sant Paul yn
Llundain, a dyna a ddywed y bardd Rhys Cain
amdano:

Euraist reswm, wers trasyth,
O Groes Bowls, gair a sai' byth.

Saif hen eglwys a hen reithordy Llanrhaeadr
hyd heddiw, er bod cryn newid wedi bod ar yr
adeiladau. Mae'r pentref hardd yn glwstwr o'u
cwmpas, a'r fynwent a gardd yr hen reithordy yn
agos at lannau afon Rhaeadr. Yr oedd yno ficer
enwog yn y 18 ganrif, gŵr o'r enw William

29 Ficerdy Llanrhaeadr-ym-Mochnant, lle
cyfieithodd William Morgan y Beibl.

Worthington, ac ef, mae'n bosibl, oedd yn
gyfrifol am ran helaethaf y rheithordy presennol,
ond gellir gweld fod llawer o ran gefn y tŷ yn
hynafol ac o bosibl yn mynd yn ôl i amser
William Morgan. Trwy groesi'r fynwent a mynd
y tu cefn i'r rheithordy gellir croesi afon Rhaeadr
a dringo i fyny i ffin Sir Drefaldwyn trwy elltydd
coediog, a gweld golygfeydd hyfryd dros y
pentref. Yn ôl traddodiad lleol, byddai William
yn hoff o gerdded yma, a mynd i weithio mewn
math o ddeildy bychan ym Mhen-y-Walk;
eisteddai yno i astudio ar dywydd teg. O weld
prydferthwch y llecyn, hawdd credu hynny.

Ond os oedd y man yn eithriadol o hyfryd, yr
oedd elfen arall yn dwyn hyfrydwch i'w fywyd

hefyd, gan iddo briodi tua 1578 tra oedd yn
Llanrhaeadr. Ei wraig oedd Catherine ferch
George, merch i rieni digon cyffredin o
Groesoswallt – rhaid cofio bod Croesoswallt yn
dref Gymraeg i bob pwrpas yr adeg honno – a
gweddw ddwywaith trosodd. Hyd y gwyddom
bu'n briodas ddedwydd a hapus. Ond yn
anffodus, daeth y briodas hon â William i
gysylltiad â theuluoedd bonheddig yr ardal, ac
arweiniodd hynny ef i ganol helyntion a'i blinodd
yr holl amser y bu yn Llanrhaeadr.

Roedd Oliver Thomas, ail ŵr Catherine ferch
George, yn frawd i wraig un o deulu Maredudd
neu Meredith o'r Lloran Uchaf, fferm fawr (a saif
hyd heddiw) y tu mewn i blwyf Llansilin ond heb
fod ymhell o bentref Llanrhaeadr. Mawr oedd
siom a dicter y teulu pan welsant fod y weddw

Mochnant yn cyhuddo Evan Meredith o fod yn odinebwr gan nad oedd yn briod mewn glân briodas â'r ferch yr oedd yn cyd-fyw â hi. Rhaid oedd mynd â'r achos i'r Llys Eglwysig, Llys yr Uchel Gomisiwn, a dyfarnodd hwnnw yn erbyn Meredith. Yn ôl traddodiad a gofnodir gan Charles Edwards (yn ei lyfr *Hanes y Ffydd Ddiffuant*), gŵr a hanai o ardal gyfagos i Lanrhaeadr, ond ganrif yn ddiweddarach, bu achos Evan Meredith o flaen y llys yn Llwydlo. Er y flwyddyn 1577 roedd Whitgift wedi bod yn Esgob Caerwrangon ac yn llywydd Cyngor y

31 Pen-y-Walk, uwchlaw afon Rhaeadr, hoff gyrchfan William Morgan, yn ôl traddodiad.

30 Pentref Llanrhaeadr-ym-Mochnant, lle'r oedd William Morgan yn ficer.

ifanc, Catherine ferch George, wedi priodi'r ficer William Morgan. Aelod mwyaf uchelgeisiol teulu'r Lloran oedd Ifan neu Evan Meredith, a ddaeth yn gyfreithiwr llwyddiannus, ac ef oedd yn fwyaf dig wrth y rheithor. I wneud y drwg yn waeth, yr oedd nai i Evan Meredith â'i obeithion ar gael gafael ar fferm Maes Mochnant trwy briodi â'r etifeddes yno. Cyn iddo allu cyflawni hyn, yr oedd William Morgan wedi defnyddio'i ddylanwad i berswadio merch Maes Mochnant i briodi â Robert Wynn o Wydir, mab hen noddwr ei blentyndod. Aeth yn ffrae fawr rhwng plaid y Lloran a phlaid Maes Mochnant, a Maes

Gororau, ac yn Llwydlo y cyfarfu unwaith eto â William Morgan; yno y daeth i wybod am ei waith cyfieithu.

> Canfu'r prelad ei odidowgrwydd ef, ac a'i hanogodd ef i'r gwaith bendigaid hwnnw.

Anodd dweud faint o wir sydd yn y chwedl honno, ond mae'n werth cofio am yr holl helyntion hyn wrth feddwl am y ficer ifanc yn mynd ymlaen â'i waith cyfieithu.

Aeth Meredith yn ei flaen i gyd-fyw â'r wraig, Margaret Ellis, er gwaethaf dyfarniad y llys, ond mynnai mai William Morgan oedd wrth wraidd y drwg. Anogodd bawb yn y plwyf i droi yn ei erbyn a gwrthod talu degwm iddo, neu oedi'r degwm a gorfodi'r ficer i ddwyn achosion blinderus a chostus yn eu herbyn i'w herlyn. Mae'r cywyddwyr yn sôn i William gael trafferthion mawrion gyda'i blwyfolion. Yn 1589, er enghraifft, roedd deddf gwlad yn gorfodi personiaid plwyfi i ddod â gwŷr y plwyf ynghyd a'u hyfforddi i fod yn fyddin leol i amddiffyn y deyrnas yn erbyn ymosodiad a allai ddod o Sbaen. Daeth Meredith â chriw o ddynion i bentref Llanrhaeadr ac ymosod ar William Morgan a'i gau yn y rheithordy. Bu'n rhaid iddo ddwyn achos yn erbyn Meredith, a Meredith wedyn yn dwyn achos yn erbyn y ficer. Bu'r ddau am y gorau yn taflu cyhuddiadau at ei gilydd. Cyhuddodd Morgan Evan Meredith o ymosod ar ei gurad Lewis Hughes yn ei dŷ liw nos. Atebodd Meredith mai'r cyfan a ddigwyddodd oedd ei fod ef a chriw o lanciau wedi dod draw i fenthyg telyn gan y curad er mwyn iddynt gael noson lawen yn y tŷ tafarn cyfagos.

Yn 1591 dug Meredith achos arall yn erbyn y ficer gan geisio profi ei fod ef a'i gurad yn dod â milwyr ynghyd nid i amddiffyn y deyrnas ond yn hytrach i ymosod arno ef a'i deulu. Aeth y dadlau a'r gwrth-ddadlau mor gas nes gorfod dod â'r achos gerbron Llys y Seren (y Star Chamber) yn Llundain. Mor ddifrifol oedd y sefyllfa nes bod yn rhaid i William Morgan gario pistol o dan ei fantell er mwyn ei amddiffyn ei hun rhag ymosodiadau teulu Meredith. Cyhuddodd Meredith y ficer o roi elusen i ychydig bach o dlodion dethol yn unig gan anwybyddu gweddill tlodion y plwyf; yn wir, meddai, gyrrid hwy o ddrws y rheithordy gan gi mawr 'mastiff'.

Yn yr achos yn Llys y Seren bu'n rhaid i Morgan gyfaddef ei fod yn dal nifer o segur-swyddi, a'i fod wedi bygwth nifer o dyddynwyr tlawd o Lanrhaeadr y byddai'n llosgi eu tai i'r llawr pe baent yn parhau i ddwyn coed-tân. Bu'n

rhaid iddo gytuno ei fod wedi taro ei fam-yng-nghyfraith ei hun pan oedd hi'n annog gweision Morgan i fynd ati i ymosod yn filain ar weision Meredith. Arwydd yw hynny, wrth gwrs, fod William Morgan yn ceisio cadw'r heddwch. Braidd yn chwerthinllyd, mewn gwirionedd, yw llawer o gyhuddiadau Meredith, er enghraifft bod gwraig y ficer, Catherine ferch George, yn ferch gomon, ei bod yn 'wafer woman', yn mynd o gwmpas o dafarn i dafarn a basged ar ei braich yn gwerthu 'wafers' i'r llymeitwyr. Chwerthinllyd, efallai'n wir, ond roedd yn hynod o anffodus bod y ficer yn ymgecru byth a hefyd â'i blwyfolion. Mae'n bwysig i ni oedi gyda'r achosion hyn am eu bod yn cyfleu anawsterau bywyd person plwyf yn oes Elisabeth. Onid cryn gamp oedd hi fod William Morgan wedi gallu cwbïhau ei gyfieithiad o dan y fath amgylchiadau? Yn y pen draw daeth yr ymgecru i ben am fod Syr John Wynn o Wydir wedi ymyrryd, a dod â'r ddwy ochr at ei gilydd a rhoi taw ar y cweryla. Ond yn y broses roedd William Morgan wedi gorfod ymladd llawer o achosion ac wedi colli llawer o'i arian. Gan mai twrnai proffesiynol oedd Meredith nid oedd yntau gymaint ar ei golled.

Er gwaethaf yr holl helynt fe aeth y gwaith

32 Darlun o lys Tuduraidd yn cyfarfod—Llys y Wardiau, c. 1589. Mae'n debyg mai William Cecil, Arglwydd Burghley, sy'n cadeirio.

mawr o gyfieithu'r Beibl yn ei flaen yn llwyddiannus. Trefnwyd i'r ficer fynd i Lundain yn 1587 ac aros yno am flwyddyn gron i ddelio â'r argraffwyr. Yr oedd hyn yn angenrheidiol gan mai Saeson uniaith oeddynt ac na allent olygu'r gwaith wrth iddo fynd trwy'r wasg. Wedi i'r Beibl ddod allan tua diwedd 1588, yr oedd William Morgan yn ddyn enwog. Roedd eisoes yn adnabyddus trwy'r esgobaeth fel un o'r ychydig a allai bregethu. Mewn adroddiad ar gyflwr esgobaeth Llanelwy ym mis Chwefror 1587 dywedwyd nad oedd ond tri phregethwr yn yr esgobaeth heblaw'r esgob ei hun, sef Dr. Morgan, ei gyfaill Dr. Powel, yr hanesydd a pherson Rhiwabon, a pherson yn byw yn Llanfechain:

There is never a preacher within the said diocese (the Lord Bishop only excepted) that keepeth ordinary residence and hospitality upon his living, but Dr. Powel and Dr. Morgan and the parson of Llanvechen, an aged man about eighty years old.

Un o'r pregethau a draddododd William Morgan oedd un ar achlysur angladd y bonheddwr Syr Ifan Llwyd o blas Bodidris ar fryniau Llandegla, heb fod ymhell i ffwrdd, a hynny ar 12 Mawrth 1587. Yn ôl yr hanes fe argraffwyd y bregeth hon ond mae pob copi ohoni wedi diflannu. Mae'n siŵr mai pregeth Gymraeg oedd hi gan fod Llwydiaid Bodidris yn dal i lynu wrth eu Cymraeg ymhell wedi amser William Morgan.

Roedd ei enwogrwydd fel cyfieithydd y Beibl a'i enwogrwydd lleol fel un o ychydig bregethwyr esgobaeth Llanelwy yn ei osod ben ac ysgwyddau yn uwch na phersoniaid plwyf ei genhedlaeth. Gan fod yr awdurdodau Eglwysig yn awyddus i benodi Cymry da i swyddi ar y fainc esgobol, mater o amser oedd hi cyn y byddai William Morgan yn cael ei ddyrchafu'n esgob. Daeth ei gyfle pan symudwyd Gervase

Babington, Esgob Llandaf, yn 1595. Honnai Syr John Wynn, yn gwbl nodweddiadol ohono ef, mai ef a gafodd y swydd i William Morgan trwy ohebu â rhyw Mr. Boyer a thrwy hynny ddylanwadu ar Cecil a Whitgift a'r Frenhines. Digon posibl bod Wynn wedi bod o gymorth, ond yr oedd Morgan wedi byw yn Llundain trwy gydol 1587-88 ac wedi troi yng nghwmni dynion fel Whitgift yno, felly nid oedd angen tynnu rhagor o sylw at ei alluoedd a'i rinweddau. Yr oedd angen llenwi dwy esgobaeth yng Nghymru, sef Bangor a Llandaf, a'r awgrym yw mai ei gyfaill Richard Vaughan o Nyffryn oedd i fod i fynd i Landaf. Roedd ef yn Archddiacon Middlesex bryd hynny ac felly wedi cael peth dyrchafiad eisoes. Ond trefnwyd i Vaughan fynd i Fangor a rhoddwyd swydd Llandaf i Morgan. Aeth ef i lawr i Croydon, gerllaw Llundain, lle'r oedd un o blasau Archesgobion Caer-gaint, i gael ei urddo'n esgob. Gwnaethpwyd hynny yn eglwys Croydon gan Archesgob Whitgift ac eraill ar 20 Gorffennaf 1595. Mae'r eglwys a fuasai yno wedi ei hailadeiladu erbyn heddiw, ond ynddi y claddwyd Whitgift yn 1604 ac y mae cerflun ohono yno.

Aeth William a'i wraig i lawr i'r De. Cawsant fenthyg ceffylau gan Syr John Wynn i fynd ar eu taith hir o Lanrhaeadr, ac yn y De y buont yn byw o 1595 i 1601. Roedd Eglwys Gadeiriol Llandaf rywbeth yn debyg i'r hyn yw hi heddiw, ond roedd yr adeiladau eisoes wedi dechrau dirywio. Un o fwriadau pennaf William Morgan oedd cynllunio i'w hatgyweirio, ond roedd yr esgobaeth yn rhy dlawd, a dirywio ymhellach a wnaeth yr eglwys nes mynd yn adfail erbyn y 18 ganrif. Roedd tlodi'r esgobaeth yn druenus, a phendefigion a brenhinoedd wedi ysbeilio'r tiroedd i gyd; yn wir, roedd ei thlodi'n ddiarhebol. Efallai fod William Morgan yn gwybod y stori am y Sais o Esgob Llandaf a ddywedodd am ei esgobaeth mai 'Bishopric of Af' y dylai fod am fod pawb wedi dwyn y 'Lland' (y tir). Safai plas yr esgobion ar fryncyn

33 Eglwys Gadeiriol Llandaf, lle bu William Morgan yn esgob. Engrafiad gan y brodyr Buck, 1741.

34 Eglwys Gadeiriol Llanelwy, lle bu William Morgan yn esgob. Engrafiad gan y brodyr Buck, 1742.

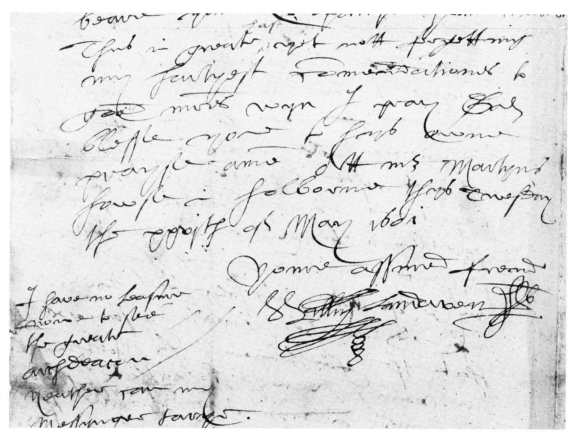

35 Llythyr gan William Morgan at Syr John Wynn, 26 Mai 1601.

uwchlaw'r eglwys. Fe'i hysbeiliwyd gan filwyr Owain Glyndŵr ar ddechrau'r 15 ganrif, a'i adael yn adfail, ac mae adfeilion ei byrth hardd yn sefyll hyd heddiw. Felly roedd yn rhaid i William a'i wraig fyw yn yr ail blas, ym mhen draw'r esgobaeth ym Mathern (Merthyr Tewdrig yn llawn) gerllaw Cas-gwent. Mae plas yr esgobion – sy'n dŷ preifat ers canrif a mwy – yn sefyll hyd heddiw mewn llecyn hardd heb fod ymhell o Bont Hafren. Yn Sir Fynwy roedd William yn byw, felly, ac yn y sir honno y cyfarfu ag un o'i broblemau mwyaf fel esgob. Sut oedd dygymod â'r nifer fawr o Babyddion a oedd yno? Sut oedd gwastrodi'r Pabyddion a gâi loches a nodded gan deulu pendefigaidd Castell Rhaglan, Ieirll Caerwrangon? Roedd llawer o waith i'w wneud yn yr esgobaeth, ac yn ôl yr hanes fe'i cyflawnodd yn ddiwyd ac yn gydwybodol.

Parhaodd â'i waith ysgolheigaidd hefyd yn ddiwyd ac yn gydwybodol, yn ailolygu testun y Testament Newydd ar gyfer rhyw argraffiad posibl yn y dyfodol, ac yn gofalu am ailolygu'r Llyfr Gweddi Gyffredin a gyhoeddwyd yn 1599. Yn ôl ei gyfaill a'i ddisgybl ifanc Dr. John Davies (a ddaeth wedyn yn berson Mallwyd), roedd Morgan hefyd yn casglu deunydd geiriadur, peth

36 Eglwys Pennant Melangell, un o'r eglwysi lle'r oedd William Morgan yn ficer.

naturiol i'r fath ysgolhaig ei wneud, ac yntau wedi bod yn ymhél gymaint ag ystyron geiriau amryw ieithoedd. Yn anffodus, diflannodd llawysgrif y geiriadur hwn. Rhoddai anogaeth gref i ysgolheigion Cymraeg yn ei esgobaeth, dynion fel James Parry o Euas (ar ffin Sir Henffordd) a ddechreuodd osod y Salmau ar ffurf caneuon Cymraeg i'w canu yn yr eglwysi (gwaith a gyflawnwyd yn llwyddiannus gan Edmwnd Prys yn 1621), ac Edward James, person Caerllion, Sir Fynwy, bryd hynny, a weithiodd ar gyfieithiad o bregethau swyddogol Eglwys Loegr gan John Jewel ac eraill, cyfieithiad gwych a gyhoeddwyd yn 1606 ac sy'n adnabyddus fel *Llyfr yr Homiliau*. 'Homili' oedd gair y cyfnod am bregeth, ac mae llyfr Edward James — sy'n un o gampweithiau'r Gymraeg—yn dangos dylanwad cryf William Morgan.

Beth bynnag a ddywedwyd amdanynt gan eu plwyfolion yn Llanrhaeadr-ym-Mochnant, roedd William a'i wraig yn hael eu croeso i feirdd a chywyddwyr yn eu plas ym Mathern. Mae nifer o gywyddau moliant a diolch iddynt wedi goroesi gan feirdd megis Huw Machno, Lewys Dwnn a Siôn Mawddwy. Dywed Lewys Dwnn:

> Hael a brau iawn, hylwybr yw,
> Im erioed am aur ydyw,
> Yntau Wiliam yn talu
> A gâr fawl y gwŷr a fu.

37 Palas Mathern, ger Cas-gwent. Darlun pensil gan
   C.L.W., c. 1820.

Mwy diddorol na'r cywyddau mawl yw'r
cywydd gofyn gan Siôn Mawddwy at William
Morgan ar ran Siors Wiliam o Flaen Baglan, yn
gofyn i'r esgob am ganiatâd i godi capel anwes
yng nghornel pellaf plwyf Glyncorrwg. Roedd
Siors Wiliam (bonheddwr a berthynai i linach o
noddwyr y beirdd a barhaodd i siarad Cymraeg
hyd at ganol yr ugeinfed ganrif) wedi symud o
blas Blaen Baglan (gerllaw Baglan, Port Talbot,
heddiw) i Glun y Bont, Cwm-gwrach, a chwyn
Siors a'i gydblwyfolion oedd na allent groesi'r
mynyddoedd ar dywydd mawr i gyrraedd eglwys
Glyncorrwg. A ellid codi capel anwes neu gapel o
esmwythdra iddynt ar lannau Gwrach a Nedd?
    Mae Siôn Mawddwy yn cyfarch yr esgob yn
gyntaf:

Goleunod, awdur glanwaith,
Goleuaist, noddaist ein iaith,
O Roeg ag Ebriw hygwbl,
A Lladin call, dawn y cwbl,
Troist y ddau Destament trostynt
Yn Gymräeg, hoywdeg hynt.
Hyn nis gwnaethid, ddi-lid wledd,
Heb eni mab o Wynedd.

Fel pawb arall, sonia am oleuni yn dod wedi
dallineb:

I Gymru, iach fu wych faeth,
Yn deg eich genedigaeth,
I'n dwyn i gyd, enwog iôn,
O dywyllwch, rai deillion.

Daw Siôn Mawddwy at graidd ei gywydd gofyn:
'Gwas wyf a'm neges yw hyn'. Mae ei noddwr,
Siors Wiliam, wedi prynu tir mewn blaeneudir
ym mhlwyf Glyncorrwg, ond ysywaeth:

Hir yw ffordd hwn, Brytwn bro,
Hyd i'r eglwys i dreiglo,
A'r gaeaf yn dragywydd,
Iôr ir doeth, pan oero'r dydd.
Odid un cryf, Dydain Cred,
Y llew mwynwych, all myned,
O Lyn Nedd, lawen wiwddawn,
I Lyncorrwg, amlwg iawn.

Ond nid yw ei noddwr am fod heb wasanaeth eglwys, ac felly mae'n gofyn caniatâd i godi capel anwes:

Arnad, f'arglwydd, rhwydd benrhaith,
Y mae'n deisyf mewn dwyswaith,
Cyn daeth cennad i weithio
Capel i'w barsel lle'i bo.

Ar ddiwedd y cywydd mae'n dymuno i 'Iôr Llandaf' gael ei wneud yn Archesgob Caer-gaint.

Codwyd y capel ar ei 'barsel' o dir yng Nghlun y Bont, Cwm-gwrach, ac fe saif ei olynydd ar y fan hyd heddiw. Parhaodd disgynyddion Siors Wiliam i addoli yno (er eu bod wedi codi capel arall yn ymyl eu cartref yn Aberpergwm gerllaw) ac roedd un ohonynt, Maria Jane Williams, 'Llinos', y casglydd alawon gwerin, yn warden

eglwysig yno yn y 19 ganrif. Roedd yn werth dyfynnu o'r cywydd am ei fod yn arwydd o hoffter yr esgob o waith y beirdd, ac am ei fod yn symbol o'i arhosiad yn Llandaf, un o adegau hapusaf ei fywyd. Y mae'n arwydd hefyd o adeg hapus yn niwylliant Cymru, adeg o gydweithrediad llawen rhwng y beirdd a'r boneddigion a'r eglwyswyr, a phawb yn defnyddio'r Gymraeg — adeg a oedd i ddiflannu'n rhy fuan.

Yn y flwyddyn 1600 bu farw hen gyfaill William Morgan, William Hughes, Esgob Llanelwy, a bu cryn ohebu ynghylch cael olynydd iddo. Barn cyfaill arall i'r ddau, Gabriel Goodman, Deon Westminster, oedd mai William Morgan oedd y gŵr mwyaf cymwys i fod yn esgob. Ysgrifennodd at Robert Cecil, a oedd wedi dod yn lle ei dad yn gynghorydd i'r Frenhines:

My lord of Llandaff is well known to be the most sufficient man in that country both for his learning, government and honesty of life, and hath also best deserved of our country for his great pains and charges in translating the Bible into our vulgar tongue, with such sufficiency as deserveth great commendation and reward.

Unwaith eto, barn Whitgift oedd mai Morgan oedd y dyn at y swydd gan ei fod wedi clywed gair da amdano gan Gymry'r De a'r Gogledd. Felly, fe'i penodwyd i Lanelwy, a'i orseddu yno yn 1601. Roedd Llanelwy gryn dipyn yn gyfoethocach nag esgobaeth Llandaf a chan fod hawl ganddo i ddal swydd archddiaconiaeth Llanelwy yn ogystal â'r esgobaeth, roedd ei incwm ddwywaith yr hyn ydoedd yn Llandaf.

Felly, aeth ef a'i wraig yn ôl i'r Gogledd i fyw. (Gyda llaw, ni bu plant i Catherine ferch George o'i phriodas gyntaf nac o'r ail.) Fel yn Llandaf, yr oedd plas yr esgobion yn Llanelwy hefyd yn adfeilion, ac aethant i fyw yn nhŷ'r archddiacon,

38 Ni lwyddodd yr Esgob Morgan i atal dadfeiliad Eglwys Gadeiriol Llandaf.
Darlun gan S. H. Grimm, c. 1777.

39 Sêl gŵyr ar un o ddogfennau'r Esgob Morgan, yn dangos ei bais arfau.

tŷ o'r enw Plas Gwyn ym mhentref Dyserth, ychydig i'r dwyrain o Lanelwy. Yma eto parhaodd eu croeso i'r beirdd. Ysgrifennwyd cywydd croeso iddynt i Lanelwy gan Owain Gwynedd. Ysgrifennodd Rhys Cain gywydd doniol ar ran William Morgan at John Vaughan a oedd yn ficer Abergele, yn diolch iddo am anrheg o wyddau, ond yn dweud bod gwyddau Abergele mor ffyrnig nes lladd gwyddau'r esgob ei hun, ynghyd â'i filgi. Yn union fel y gwnaeth yn Llandaf, creodd yn Llanelwy gylch o gyfeillion llawen a llengar a fyddai'n mwynhau englyn a chywydd gyda'i gilydd.

Yn ôl pob sôn, gwnaeth ei waith yn Llanelwy yn gwbl gydwybodol. Yr unig aelod o'i dylwyth a gafodd nawdd arbennig ganddo oedd ei nai, mab ei frawd, bachgen o'r enw Evan Morgan a benodwyd yn ficer Llanasa yn Sir Fflint. Ond noddai'r ysgolheigion orau y gallai ac un o'r pethau olaf a wnaeth oedd rhoi rheithoriaeth Mallwyd i'w gyfaill a'i ddisgybl Dr. John Davies, un o ysgolheigion mwyaf y Gymraeg. Roedd yr esgob yn heneiddio (yn ôl safonau'r oes honno, beth bynnag) ond yn parhau i weithio ar gyfieithiad newydd o'r Testament Newydd, ac fe'i gorffennodd yn 1603. Aethpwyd â'r llawysgrif i Lundain gan Thomas Salesbury ond diflannodd pan fu'n rhaid i Salesbury ffoi o

Lundain o achos y pla. Un enghraifft o waith cydwybodol Morgan fel esgob oedd ei fod wedi talu â'i arian ei hun am roi to newydd ar yr eglwys gadeiriol.

Trist yw gorfod cofnodi ei fod wrth ddychwelyd i'r Gogledd wedi cweryla ac ymgecru unwaith eto, nid yn gymaint â phlwyfolion y tro hwn ond â boneddigion yr esgobaeth. Yn 1602 bu ffrae rhwng yr esgob a thirfeddiannwr grymus o Abergele, David Holland o'r Teirdan, gŵr hynod o ystyfnig a dialgar a pharod i gyfreitha. Ffrae ynghylch degwm plwyf Abergele ydoedd, a bu'n rhaid i Syr John Wynn o Wydir ymyrryd unwaith eto i setlo'r ffrae a helpu ei hen gyfaill William Morgan. Nid oedd cweryla o'r fath yn beth anarferol iawn yn y cyfnod hwn, gan fod boneddigion yn gweld eu cyfle i ymgyfoethogi trwy gael cyfoeth yr Eglwys i'w dwylo. Tristach na'r ffrae â Holland y Teirdan oedd ffrae annisgwyl ym mis Chwefror 1603 rhwng William Morgan a'i hen gyfaill John Wynn. Roedd iechyd yr esgob yn dirywio erbyn hyn. Degymau plwyf Llanrwst oedd asgwrn y gynnen. Ceisiodd Wynn gael yr esgob i roi prydles iddo o ddegymau Llanrwst, a hynny am rent bychan. Gwyddai'r esgob y byddai cryn elw'n mynd yn syth i bocedi John Wynn a gwrthododd eu rhoi. Dywedodd mai er budd a lles yr Eglwys yr oedd yn gwrthod ildio, ond credai Wynn a'i gyfeillion mai bwriad yr esgob oedd dal bywoliaeth Llanrwst ei hun ac ychwanegu'r incwm at ei gyflog ei hun. Digiodd John Wynn yn arw. Teimlai'n chwerw am ei fod ef wedi helpu'r esgob gyda phob math o gymwynasau bob cam o'r daith. Roedd ei deulu wedi addysgu Morgan a honnodd fod William Morgan wedi addo rhoi'r degymau iddo yn y lle cyntaf. Bu cryn ohebu (yn Saesneg) rhwng John Wynn a'r esgob yn 1603 ac 1604, ac yn ei lythyr olaf at Wynn ar 24 Gorffennaf 1604, dywed Morgan ei fod yn gwrthod ildio modfedd iddo a'i fod erbyn hyn yn ddyn claf. Bu yn Lloegr am chwe mis yn chwilio am feddygon a meddyginiaeth i'w wella, ond yn ofer. Dychwelodd i Lanelwy a bu farw yno ar 10 Medi 1604. Claddwyd ef rywle yn eglwys Llanelwy — yn ymyl yr allor yn y gangell, fwy na thebyg — ond nid oes faen coffa iddo yn yr eglwys. Bu ei wraig fyw am flwyddyn wedi hynny. Aeth hi yn ôl i Groesoswallt, ei thref enedigol, ac yno y bu farw a'i chladdu.

Gadawodd William Morgan ewyllys, a'i ysgutorion oedd Dr. John Davies o Fallwyd, ei nai Evan Morgan, John Chambres o Leweni a oedd yn nai i Gabriel Goodman, a John Price, prifathro ysgol Rhuthun. Iawn y dywedodd John Wynn o Wydir mai marw'n ddyn tlawd a wnaeth yr esgob. Tua £110 oedd gwerth ei eiddo, swm bach iawn o'i gymharu ag eiddo unrhyw ŵr bonheddig bryd hynny, ac roedd yn rhaid talu rhai dyledion allan o'r swm yna. Roedd ganddo, yn ôl yr ewyllys, gasgliad o 45 o ddarnau o lestri piwtar, pump o botiau blodau, dau baun a dau alarch. Felly, yr oedd yn hoff o anifeiliaid ac o flodau, ac efallai o bethau prydferth fel llestri piwtar. Difyr a dynol yw'r math yna o fanylion am ei fywyd personol, ond mae'r ewyllys yn dangos bywyd mor syml a dirodres oedd gan William Morgan, ac mor wahanol i rwysg a rhodres boneddigion oes Elisabeth ac Iago I. Ni ellir cael gwell cyferbyniad â'i fedd di-enw na beddau Wynniaid Gwydir.

———————— ◆ ————————

BETH OEDD ARBENIGRWYDD BEIBL 1588?

Rhoist bob gair mewn cywair call,
Rhodd Duw, mor hawdd ei ddeall!

(Rhys Cain)

Doctor Wiliam Morgan a gyfieithodd y Beibl drwyddi yn hwyr o amser; gwaith angenrheidiol, gorchestol, duwiol, dysgedig; am yr hwn ni ddichon Cymry fyth dalu a diolch iddo gymaint ag a haeddodd ef. Cyn hynny hawdd yw gwybod mai digon llesg oedd gyflwr yr iaith Gymraeg, pryd na cheid clywed fynychaf, ond y naill ai cerdd faswedd, ai ynte rhyw fath arall ar wawd ofer heb na dysg na dawn na deunydd ynddi.

(Maurice Kyffin, *Deffyniad Ffydd Eglwys Loegr*, 1595)

Erbyn heddiw nid yw'n hawdd dweud pa bryd yn union y dechreuodd William Morgan ar y gwaith o gyfieithu'r Beibl. Mynnai Syr John Wynn fod Richard Davies a William Salesbury wedi trosglwyddo cryn dalp o'r gwaith anorffenedig i William Morgan, ac felly nad oedd ganddo gymaint a chymaint o'r gwaith yn weddill i'w wneud. Ond mae sŵn malais yn y geiriau, neu, o bosib, yr oedd John Wynn yn teimlo na allai un gŵr fod wedi cyflawni'r fath gamp mewn amser mor fyr. Pwyllgorau o esgobion ac ysgolheigion a oedd wrthi'n cyfieithu Beiblau Saesneg, fel Beibl yr Esgobion 1568 a'r Beibl Awdurdodedig yn 1611. Dyna'r drefn yn

yr ugeinfed ganrif hefyd. Efallai fod William wedi dechrau ar ei dasg gan feddwl bod eraill i fod i ddod ato i'w helpu. Yn wir, yn 1584 mae ei gyfaill Dr. Powel yn siarad am y gwaith fel pe na bai yn fwriad gan William i wneud y cyfan. Byddai'n rhesymol credu ei fod wedi dechrau gyda Phum Llyfr Moses, ac y mae arbenigwyr yn y maes hwn yn credu ei fod wedi gweithio ar y Pum Llyfr rhwng 1579 ac 1583, wedyn ei fod wedi cyfieithu gweddill yr Hen Destament rhwng 1583 ac 1587. Yn ystod 1587 aeth i Lundain i archwilio'r argraffu, ac yn niwedd 1588 roedd y Beibl yn barod.

Mae rhagair William i'r Beibl yn dangos fod Archesgob Whitgift wedi cynnal ei ysbryd pan oedd yn digalonni:

A minnau ond prin wedi ymgymryd â'r gwaith, byddwn wedi syrthio (fel y dywedir) ar y trothwy, wedi fy llwyr lethu gan anawsterau'r dasg a chan faint y gost, ac ni fyddwn wedi gallu gweld argraffu ond y Pum Llyfr, oni bai i'r Parchedicaf Dad yng Nghrist, Archesgob Caer-gaint, Maecenas rhagorol i lên a dysg, amddiffynnydd mwyaf eiddgar y gwirionedd, a gwarcheidwad tra doeth ar drefn a gweddusdra — oni bai iddo ef lwyddo i gael gennyf barhau gyda'r gwaith.

Ystyr 'Maecenas', gyda llaw, yw 'noddwr hael i'r celfyddydau', fel Maecenas gynt yn Rhufain. Dywed William fod Whitgift wedi gwasgu arno i ddod i Lundain i aros gydag ef ym Mhlas

LLyfr cyntaf Moses yr
hwn a elwir GENESIS.

PENNOD I.

Creadwriaeth y nêf, a'r ddaiar, 2 Y goleuni a'r ty-
wyllwch, 8 Y ffurfafen, 16 Y pysc,yr adar, a'r ani-
feiliaid, 26 A dyn. 29 LLynniaeth dyn ac anifail.

Psal.33.6.
Psal.136.5.
Eccle.18.1.
Act.14.15.
Act.17.24.

YN y decheuad y * cre-
awdd Duw y nefoedd
a'r ddaiar.

2 Y ddaiar oedd af-
luniaidd, a gwâg, a
thywyllwch [ydoedd]
ar wyneb y dyfnder,ac
yspryd Duw yn ym-
symmud ar wyneb y dyfroedd.

Ebr.11.3.

3 Yna Duw a ddywedodd, *bydded goleu-
ni, a goleuni a fú.

4 Yna Duw a welodd y goleuni mai dâ
[oedd,] a Duw a wahanodd rhwng y goleuni
a'r tywyllwch.

5 A Duw a alwodd y goleuni yn ddydd,a'r
tywyllwch a alwodd efe yn nôs : a'r hwyr a fú,
a'r borau a fú, y dydd cyntaf.

Psal.136.5.
Ierem.10.12.
Ierem.51.15.

6 Duw hefyd a ddywedodd*bydded ffurfa-
fen yng-hanol y dyfroedd, a bydded hi yn gwa-
hanu rhwng dyfroedd a dyfroedd.

7 Yna Duw a wnaeth y ffurfafen, ac a wa-
hanodd rhwng y dyfroedd y rhai [oeddynt] o-
ddi tann y ffurfafen, a'r dyfroedd y rhai [oedd-
ynt] *oddi ar y ffurfafen: ac felly y bu.

Psal.148.4.

8 A'r ffurfafen a alwodd Duw yn nefoedd:
felly yr hwyr a fú,a'r borau a fú,'r ail dydd.

Psal.33.7.

9 Duw hefyd a ddywedodd, * caseler y dyf-
roedd oddi tann y nefoedd i'r vn lle,ac ymddan-
gosed y sych-dir : ac felly y bú.

10 A'r sych-dir a alwodd Duw yn ddaiar,
chasgliad y dyfroedd, a alwodd efe yn foroedd:a
Duw a welodd mai dâ oedd.

11 A Duw a ddywedodd eginéd y ddaiar e-
gin [sef] llyssiau yn hadu hâd, a phrennau
ffrwyth-lawn yn dwyn ffrwyth,wrth eu rhyw-
ogaeth, y rhai [y mae] eu hâd ynddynt ar y
ddaiar : ac felly y bú.

12 A'r ddaiar a ddûg egin [sef] llyssiau yn
hadu hâd wrth eu rhywogaeth, a phrennau yn
dwyn ffrwyth y rhai [y mae] eu hâd ynddynt

wrth eu rhywogaeth: a Duw a welodd mai dâ
oedd.

13 Felly yr hwyr a fu, a'r borau a fu, y tryd-
ydd dydd.

14 Duw hefyd a ddywedodd, * bydded
goleuadau yn ffurfafen y nefoedd i wahanu
rhwng y dydd a'r nôs : a byddant yn arwydd-
ion, ac yn dymmorau, ac yn ddyddiau, a blyn-
ydddoedd.

Psal.136.7.
Deut.4.19.

15 A byddant yn oleuadau yn ffurfafen y
nefoedd,i oleuo ar y ddaiar : ac felly y bu.

16 Oblegit Duw a wnaeth y ddau ole-
uad mawrion, y goleuad mwyaf i lywodraethu
y dydd, a'r goleuad lleiaf i lywodraethu y nôs,
a'r sêr[hefyd.]

17 Ac yn ffurfafen y nefoedd y rhoddes
Duw hwynt,i oleuo ar y ddaiar:

18 Ac * i lywodraethu y dydd a'r nôs, ac i
wahanu rhwng y goleuni a'r tywyllwch : a
g'welodd Duw mai dâ oedd.

Ierem.31.35.

19 Felly yr hwyr a fu, a'r borau a fu, y ped-
werydd dydd.

20 Duw hefyd a ddywedodd, heigied y dyf-
roedd ymlusciaid byw, ac ehedeu ehediaid ar y
ddaiar,ar wyneb ffurfafen y nefoedd.

21 A Duw a greawdd y mor-feirch mawri-
on,a phôb ymlusciaid byw y rhai a heigiodd y
dyfroedd yn eu rhywogaeth, a phôb ehediad as-
cellog yn ei rywogaeth : a g'welodd Duw mai
dâ oedd.

22 Yna Duw ai bendigodd hwynt, gan
ddywedyd: ffrwythwch, ac amlhewch, a llen-
wwch y dyfroedd yn y moroedd a lluosoged yr
ehediaid ar y ddaiar.

23 A'r hwyr a fú, ar borau a fú, y pummed
dydd.

24 Duw hefyd a ddywedodd, dyged y ddai-
ar [bôb] peth byw wrth ei rywogaeth, yr ani-
fail,a'r ymlusciaid, a bwyst-fil y ddaiar wrth ei
rywogaeth : ac felly y bu.

25 Felly y g'wnaeth Duw bwyst-fil y ddai-
ar, wrth ei rywogaeth, a'r anifail wrth ei rywo-
gaeth,a phôb ymlusciaid y ddaiar wrth ei rywo-
gaeth : a g'welodd Duw mai dâ oedd.

A.i.   26 Duw

41 Abaty Westminster, lle'r oedd Gabriel Goodman
   yn ddeon. Engrafiad gan y brodyr Buck, c. 1740.

Lambeth, ond fe wrthododd y cynnig am fod
Lambeth yr ochr draw i afon Tafwys a'r
argraffwyr yr ochr yma, a byddai croesi'r afon
byth a hefyd yn ormod o drafferth. Y cynnig a
dderbyniodd oedd croeso hael Gabriel
Goodman, a oedd erbyn hynny'n Ddeon
Westminster, ac yn y deondy wrth ochr Abaty
Westminster y bu William yn gweithio am
flwyddyn:

> Arferwn ailddarllen yr hyn yr oeddwn wedi'i
> gyfieithu yn ei gwmni ef [Goodman], ac yr
> oedd mor barod ei gymorth imi, gan fy
> helpu'n fawr iawn â'i lafur ac â'i gyngor.
> Hefyd rhoes imi nifer helaeth o'i lyfrau ei hun,

a chaniataodd imi ddefnyddio'r gweddill yn
rhydd. Trwy gydol y flwyddyn y bu'r llyfr yn
y wasg rhoddodd lety imi, gyda chaniatâd
mwyaf caredig aelodau'r Cabidwl.

Y 'Cabidwl' oedd swyddogion eraill Abaty
Westminster. Nid yw'n syndod fod William
Morgan wedi rhoi copi o'r Beibl ar 20 Tachwedd
1588 i lyfrgell Abaty Westminster, lle y mae'n
cael ei gadw hyd heddiw.
Mae'r cyfeiriadau hynod o ganmoliaethus at
Whitgift yn gymorth i ddeall sut y talwyd am yr
argraffiad. Cred yr Athro Glanmor Williams mai
Whitgift ei hun a dalodd y treuliau argraffu. Pam,
tybed, yr oedd Whitgift — a chyfeillion iddo, fel
Gabriel Goodman — mor awyddus i wneud

popeth i gael Beibl Cymraeg o'r wasg yn 1588? Awgrym yr Athro Williams eto yw bod yma gysylltiad â helynt John Penry. Cymro ifanc tanbaid ei Brotestaniaeth oedd Penry, brodor o Langamarch yn Sir Frycheiniog, a aeth i Lundain a throi'n Biwritan selog. Penry oedd awdur nifer o bamffledi gwynias eu sêl efengylaidd a ymosodai'n ddidrugaredd ar esgobion Eglwys Loegr. Mae'n eithaf posibl bod Whitgift wedi ei bigo i'r byw gan ymosodiadau Penry. Ysgrifennodd John Penry rai pamffledi ar Gymru lle y mae'n defnyddio Cymru fel esiampl o esgeulustod yr esgobion, a Whitgift yn eu plith. Ffodd Penry i'r Alban, ond daeth yn ôl, fe'i daliwyd, a'i brofi yn y llys mewn prawf annheg. Whitgift a arwyddodd y warant i'w ddienyddio, ac fe'i crogwyd yn 1593.

Yr oedd 1587, y flwyddyn y daeth Whitgift a Goodman â William Morgan i Lundain i hyrwyddo argraffu'r Beibl, yn flwyddyn anodd a pheryglus i lywodraeth Elisabeth, adeg o gynllwynio yn erbyn y Frenhines, adeg dienyddio Mari Stuart, brenhines y Sgotiaid, a bygythion ymosodiad gan Sbaen. Anodd gwybod beth oedd cryfder Pabyddiaeth yng Nghymru, ond tua 1586-7 roedd Pabyddion wedi argraffu'n ddirgel, mewn ogof yn Rhiwledyn ar arfordir Gwynedd, eu llyfr propaganda Cymraeg, *Y Drych Cristionogawl*. Yn 1587 cyhoeddodd Penry ei lyfr, *An Aequity of an Humble Supplication,* lle'r oedd yn lladd ar yr esgobion am eu difaterwch ynglŷn â chyflwr Cymru. O gofio hyn, onid rhesymol yw credu bod Whitgift yn dyheu am weld Beibl Cymraeg yn cael ei gyhoeddi?

Rhagair (Lladin) William Morgan sy'n egluro inni orau beth oedd cymhellion y cyfieithydd. Yn gyntaf i gyd, y mae'n diolch i'r Frenhines am ganiatáu cyfieithu'r ddau Destament a'r Llyfr Gweddi Gyffredin, a chadarnhau hynny yn y Senedd. Dywed fod pobl Cymru'n dod yn fwy cyfarwydd â'r Saesneg bob dydd trwy allu cymharu'r ddwy iaith o'u clywed yn yr eglwysi.

Llawer pwysicach na hynny oedd cyflwyno'r gwirionedd i'r Cymry. Yn ddiweddar, ni allai ond un neu ddau bregethu yn Gymraeg am nad oedd yr eirfa ganddynt i fynegi pethau dirgel y Beibl. Nid oedd dynion yn gallu gwahaniaethu rhwng yr Ysgrythurau eu hunain a dehongliadau ac esboniadau arnynt, a hynny am fod y cyfan mewn iaith estron. Rhaid oedd cyfieithu'r Beibl — yr Hen Destament o'r dechrau, a diwygio iaith y Testament Newydd. Os oedd rhai'n ceisio dadlau y dylid gorfodi'r Cymry i ddysgu'r Saesneg yn hytrach na thrafferthu i gyfieithu'r Beibl i'r Gymraeg, yna yr oeddynt yn euog o esgeuluso'r gwirionedd, ac o ddisodli crefydd yn eu sêl dros undod. 'Fe fydd pobl Dduw yn y cyfamser yn marw o newyn am Ei Air Ef.' Roedd cytgord mewn crefydd yn bwysicach na chytgord o ran iaith. Ni fyddai gwahardd cael Beibl yn y Gymraeg yn gwneud fawr o ddim i hyrwyddo dysgu Saesneg. Mae'n weddol amlwg mai'r ddadl hon dros ddysgu'r Saesneg i'r Cymry a barodd gynnwys y cymal yn neddf 1563, yn gorchymyn gosod y Beibl Cymraeg a'r un Saesneg ochr yn ochr yn yr eglwysi.

Mae'n ddiddorol fod William Morgan yn mynd dros ddadleuon fel hyn, yn eu codi i fyny ac yna'n eu saethu i lawr. Mae'n amlwg ei fod wedi gorfod dadlau'n frwd gyda rhai o blaid ei gyfieithiad. Sonia Kyffin yn ei lyfr yn 1595 am ryw ŵr eglwysig o Gymro a ddywedodd mewn eisteddfod nad oedd hi'n iawn i argraffu unrhyw lyfr Cymraeg, ond yn hytrach y dylid gorfodi'r Cymry ar unwaith i ddysgu Saesneg, ac na fyddai unrhyw les yn deillio o gael Beibl yn y Gymraeg. Hwn a barodd i Kyffin brotestio mewn brawddeg enwog: 'A allai Ddiawl ei hun ddwedyd yn amgenach?' Gwelsom wrth edrych ar fywyd personol William Morgan ei fod yn gallu troi'n hynod o ystyfnig wrth ymgodymu â boneddigion trahaus. Roedd angen yr un ystyfnigrwydd arno wrth drin gelynion ei gyfieithiad mewn llys a llan.

Beth oedd rhinweddau William Morgan fel

42 William Morgan. Cerflun yn Neuadd y Ddinas, Caerdydd.

cyfieithydd? Roedd yn ddigon o ysgolhaig i drin y deunydd gwreiddiol gan ei fod wedi'i drwytho mewn Hebraeg gan Antoine Chevallier. Yn ail, roedd yn feistr ar Gymraeg cyfoethog ac ystwyth y beirdd, ac yn drydydd, gwyddai sut oedd cael gair Cymraeg at bopeth bron yn yr Hebraeg. Ar yr un pryd, gwyddai sut oedd cyfleu deunydd hynafol y Beibl mewn cystrawen gyfoes a oedd yn osgoi ffurfiau diflanedig. Yn olaf, roedd yn ieithydd naturiol ac yn llenor wrth reddf — efallai mai dyma'r rhinwedd bwysicaf oll, gan fod y reddf hon yn rhoi'r synnwyr iddo i drin deunydd amrywiol yr Hen Destament a'i droi'n llenyddiaeth fawr.

Gwyddai'n iawn mai orgraff Salesbury a andwyodd Destament a Llyfr Gweddi 1567. Dywed John Penry wrthym fod clywed gwasanaeth yn cael ei ddarllen yn merwino clust unrhyw Gymro yn yr eglwys. Aeth William yn ôl, felly, at orgraff draddodiadol y beirdd a'r cywyddwyr, gan osgoi'r rhan fwyaf o eiriau Lladinaidd Salesbury, gydag ambell eithriad fel *sanctaidd*, lle y dylai fod wedi ei newid i *santaidd*. Aeth William yn ôl at *eglwys* a gwrthod *eccles*. Yn ogystal, osgôdd fenthyciadau dieisiau Testament 1567, fel *considro* yn lle *ystyried*, neu *scyrsio* (o 'scourge' yn Saesneg) yn lle *fflangellu*. Defnyddiodd Salesbury'r benthyciadau Saesneg hyn am eu bod ar lafar eisoes yn y Gymraeg. O edrych ar destunau eraill gellir gweld fod ei air *entrio* yn cael ei ddefnyddio gan eraill, ond myn William Morgan *fyned i mewn*, sydd yn fwy cwmpasog ond yn burach Cymraeg. Yn rhyfedd iawn, mae William yn defnyddio rhai ffurfiau gweddol dafodieithol ambell waith, er enghraifft, *geirie, minne, tithe*, lle y byddem ni yn disgwyl *geiriau, minnau, tithau*. Efallai mai ei fai mwyaf oedd gorddefnyddio cystrawen annormal y frawddeg Gymraeg wrth lunio'i frawddegau, er enghraifft, *Yr Iesu a wylodd*, yn hytrach nag *Wylodd yr Iesu* sydd yn naturiol i ni. Nid oedd ei arddull yn gwbl gyson, felly, nac yn gwbl draddodiadol, ond llwyddodd i greu Cymraeg

urddasol a oedd yn gynnes ac yn ddealladwy ar yr un pryd, a thrwy hynny greu Cymraeg safonol y cyfnod modern.

Roedd Salesbury a Davies wedi ymgodymu'n lletchwith a chlogyrnaidd â phroblem tafodieithoedd De a Gogledd, gan geisio amrywio geiriau neu eu nodi ar ymyl y ddalen. Nid oedd William wedi byw llawer yn y De, ond y mae'n bosibl ei fod yn gyfarwydd â rhai o lawysgrifau rhyddiaith y Gymraeg yn yr Oesoedd Canol, ac yn y De yr ysgrifennwyd hwy gan amlaf, ac roedd blas y De ar eu hiaith. Dewisodd William rai ffurfiau o'r De a rhai o'r Gogledd: didwyll *laeth* y gair, nid *llefrith*, ond *agoriadau*, nid *allweddau'r* nef. *Nain* sydd ganddo, nid *mam-gu*, ond *yn awr* a *gyda*, nid *rwan* ac *efo*.

Y ffordd orau i weld rhagoriaeth Cymraeg Beibl 1588 yw cymharu ei gyfieithiad â chyfieithiad Testament a Llyfr Gweddi 1567. Yn Llyfr Gweddi 1567 cynhwyswyd darnau o'r Hen Destament a oedd i'w darllen fel llithiau'r gwasanaeth. Cyfieithwyd Salm 23, ac fe ellir cymharu fersiwn 1567 â fersiwn 1588:

Fersiwn Llyfr Gweddi 1567

Yr Arglwydd [yw] vy-bugeil, ny bydd diffic arnaf.
Ef a bair ym' orphwys mewn porva brydverth, ac am tywys ger llaw dyfredd tawel.
Ef y adver vy eneit, ac am arwein i rhyd llwybrae cyfiawnder er mwyn ei Enw.
A' phe rhodiwn rhyd glyn gwascot angae, nyd ofnaf ddrwc: can y ty vot gyd a mi: dy wialen ath ffon, hwy am diddanant.
Ti arlwyy vort gar vy-bron, yn-gwydd vy-gwrthnepwyr: ireist vy-pen ac oleo, [a']m phiol a orllenwir.
Sef ddaoni, a' thrugaredd am canlynant oll ddyddiae vy-bywyt, a' phreswiliaf yn hir amser yn-tuy yr Arglwydd.

Fersiwn Beibl 1588

Yr Arglwydd [yw] fy mugail: ni bydd eisieu
arnaf.
Efe a bar i'm orwedd mewn porfeudd
gwelltoc: efe a'm tywys ger llaw dyfroedd
tawel.
Efe a ddychwel fy enaid, ac a'm harwain ar
hŷd llwybrau cyfiawnder er mwyn ei enw.
A phe rhodiwn ar hŷd glynn cyscod angeu nid
ofnaf niwed, o herwydd dy [fod] ti gyd â mi:
dy wialen, a'th ffon a'm cyssûrant.
Ti a arlwyi fort ger fy mron, yn erbyn
fyng-wrthwyneb-wŷr: îraist fy mhen ag olew,
fy phiol [sydd] lawn.
Daioni, a thrugâredd yn ddiau a'm canlynant
oll ddyddiau fy mywyd: a phresswyliaf yn
nhŷ'r Arglwydd yn dragywydd.

Hawdd gweld ar unwaith mor anghyson oedd
orgraff Salesbury. Mae *f* a *v* am yr un sain mewn
gwahanol eiriau, ac ni ddangosir y treiglad yn
vy-pen, ond disgwylir i'r darllenydd wybod mai
fy-mhen y dylai ei ddweud. Yn olaf, ceir ambell
ffurf or-Ladinaidd, megis *oleo* yn lle *olew*. Mae
cyfieithiad Salesbury tua'r diwedd yn nes at y
cyfieithiad Saesneg — *a'm phiol a orllenwir* am
'my cup runneth over'. Ond *fy phiol sydd lawn*
sydd gan William Morgan.

Nid mater o iaith yn unig ydoedd; yr oedd
gallu William Morgan fel llenor yn rhoi
rhagoriaeth ac arbenigrwydd i'w gyfieithiad. Os
edrychir ar ei gyfieithiad o Lyfr Genesis, a dilyn
rhediad storïau fel stori Jacob ac Esau, neu'r stori
am fynd i chwilio am Rebeca yn wraig, neu am
Rahel a Lea, neu yn anad dim, efallai, stori Joseff
a'i frodyr yn yr Aifft, y mae ei gyfieithiad yn
darllen mor llyfn ac ystwyth â phe bai yn destun
wedi ei ysgrifennu ddoe. Mae ei Gymraeg yn llifo
fel yr afon, ac y mae'n gallu amrywio cymaint lle
bo eisiau hynny — gwelir hynny eto yn Llyfr Job
lle mae angen cyfleu mawrhydi aruthrol Duw yn
gwneud i Job deimlo'n fychanigyn dibwys; yma
mae Cymraeg William Morgan yn rhuthro ac yn
rhuo â sŵn dyfroedd mawrion. Roedd Salesbury
a Davies eisoes wedi cyfieithu'r Testament
Newydd, ond yma hefyd y mae ail gyfieithiad
William Morgan yn llwyddo i ddyfeisio a chreu
geiriau cyfansawdd i gyfleu lled-ystyron anodd
geiriau Groeg, iaith a oedd yn enwocach nag
unrhyw iaith arall am ei gallu i greu geiriau
cyfansawdd. Gallai wneud i'r iaith Hebraeg
swnio fel Cymraeg, nes bod ymadroddion cwbl
estron yn dal dychymyg y Cymro — er
enghraifft, ymadrodd yn dod o stori Dafydd yn
aros cyn mentro ymosod ar ei elynion yw'r
geiriau 'trwst (neu sŵn) ym mrig y morwydd'.
Un Cymro o bob mil a ŵyr beth yw
morwydden, ac eto y mae'n ymadrodd hwylus i
gyfleu'r siffrwd lleiaf ym mrigau uchaf rhyw
goed neu'i gilydd, a hynny'n tystio bod newid yn
yr awel, ac felly yn arwydd o bell bod newid
mawr i ddod. Dawn y cyfieithydd yw hon — ni
ddaeth yn ymadrodd cyffredin yn Saesneg o
gwbl.

Roedd y diffyg croeso i lyfrau 1567 yn arwydd
na ellid cymryd yn ganiataol y byddai *unrhyw*
gyfieithiad o'r Beibl, hyd yn oed o'i gydnabod fel
cyfieithiad swyddogol, yn cael effaith am mai'r

43 Wynebddalen Beibl 1620.

Beibl ydoedd. Cafodd Beibl 1588 groeso brwd gan bawb, yn arbennig am fod y testun mor hawdd ei ddeall a'i ddarllen, ac yn taro'r glust yn felys ac yn naturiol ar unwaith. Nid oedd William Morgan ei hun yn fodlon ar ei fersiwn o'r Testament Newydd — mae'n debyg am fod gormod o olion Salesbury a Davies ar ei eirfa — a bu'n gweithio am rai blynyddoedd ar fersiwn newydd. Un o olynwyr William yn Llanelwy, yr Esgob Richard Parry, a fu'n gyfrifol am ddod ag argraffiad newydd o'r Beibl o'r wasg yn 1620. Honnodd mai ef oedd yn gyfrifol am y cwbl a'i fod wedi gorfod ailgyfieithu Cymraeg William Morgan a gwella arni. Ond mae arbenigwyr yn credu i'r rhan fwyaf o'r gwaith gael ei wneud gan ei frawd-yng-nghyfraith, Dr. John Davies o Fallwyd, ffefryn-ddisgybl William Morgan, ac ysgolhaig Cymraeg mwyaf ei gyfnod. Nodwedd yr ail fersiwn hwn yn 1620 yw bod ynddo gryn dipyn o dwtio a chymhennu ac o gysoni ar y Gymraeg, a chryn dipyn o gysoni'r cyfieithiad gyda fersiwn Saesneg awdurdodedig 1611. Beibl 1620 yw sylfaen pob argraffiad arall o'r Beibl, i bob pwrpas, hyd at ganol yr ugeinfed ganrif.

Beiblau mawrion i'w rhoi yn yr eglwysi plwyf oedd Beiblau 1588 ac 1620. Mae Beibl 1620 yn enfawr o ran maint ac yn llawer rhy drwm i unigolyn ei ddal i'w ddarllen ond ar ddesg neu bulpud. Wrth gwrs, yr oedd argraffiadau o'r Llyfr Gweddi yn llai o ran maint, ac roedd darnau helaeth o'r Beibl yn y rheini. Hefyd yr oedd William Morgan wedi trefnu i gyhoeddi yn Llundain yn 1588 fersiwn o'r Salmau yn unig, mewn argraffiad hylaw y gallai'r unigolyn afael ynddo. Ond symbol o'r Beiblau cynnar hyn yw'r copi sydd yn llyfrgell Eglwys Gadeiriol Henffordd — copi wedi ei glymu â chadwyn. Yn 1630 yn unig y cafwyd fersiwn o'r Beibl a allai gyrraedd y cyhoedd — Beibl bychan hylaw, 'Beibl coron', gan mai pum swllt oedd ei bris. Talwyd am yr argraffiad poblogaidd hwn gan ddau farsiandïwr o Gymry yn byw yn Llundain, Thomas Myddelton a Rowland Heilyn. A dyna ddechrau mynd â'r Beibl i gartrefi Cymru.

———————— ◆ ————————

BETH YW ARWYDDOCÂD CYFIEITHU'R BEIBL?

No country in England so flourished in one hundred years as Wales hath done, since the government of Henry VII to this time, in so much that if our fathers were now living they would think it some strange country inhabited with a foreign nation, so altered is the country and countrymen, the people changed in heart within and the land altered in hue without, from evil to good, and from bad to better; the Lord continue his goodness towards us and make us thankful; and now not three years past we have the light of the gospel, yea the whole Bible in our own native Tongue, which in short time must needs work great good inwardly in the hearts of the people, whereas the service and sacraments in the English tongue was as strange to many or most of the simplest sort as the mass in the time of blindness was to the rest of England.

(George Owen, Henllys, Sir Benfro, 1591)

Ar y dechrau, fel y mae Huw Lewys yn sylwi yn *Perl mewn Adfyd*, roedd Beibl Morgan wedi ei rwymo wrth gadwyn — 'nid oes cyrchfa ato namyn unwaith yn yr wythnos'. Hyd yn oed fel yna, roedd clywed Cymraeg mawreddog William Morgan bob Sul yn sicr o gael effaith ddofn ar y werin bobl, ac yn gymhelliad i offeiriaid fynd ati i ddysgu darllen ac ysgrifennu Cymraeg. Effaith ail gyfieithiad Parry a Davies yn 1620 oedd gwneud Cymraeg y Beibl ychydig bach yn fwy hynafol, gan golli ambell ffurf o'r iaith lafar.

Cymraeg hynod urddasol hefyd sydd yn *Llyfr yr Homiliau* gan Edward James (1606). I'r gwrthwyneb, fersiwn poblogaidd, yn defnyddio dulliau gwerinol y Canu Rhydd yw *Salmau Cân* Edmwnd Prys yn 1621, lle gosodir cyfieithiad urddasol William Morgan ar fesurau syml a chanadwy. Roedd cyhoeddi'r Beibl yn 1588 yn gosod safon o Gymraeg, ac yn hwb i eraill fentro i'r maes. Cawsom achos eisoes i sôn am *Perl mewn Adfyd*, Huw Lewys, a *Deffyniad Ffydd Eglwys Loegr*, Maurice Kyffin. Fe'u dilynwyd gan lyfrau rhyddiaith Cymraeg, nes creu llenyddiaeth grefyddol yn Gymraeg a thraddodiad o drin a thrafod crefydd yn yr iaith.

Cyhoeddwyd y fersiwn poblogaidd cyntaf o'r Beibl yn 1630, a chafwyd nifer o adargraffiadau

yn ystod y 17 ganrif. Tua diwedd y ganrif daeth galw cynyddol am ragor o gopïau gan fod cymdeithasau wedi eu sefydlu, megis y Welsh Trust a'r S.P.C.K. (y Gymdeithas er Lledaenu Gwybodaeth Gristnogol), a oedd yn awyddus i ddosbarthu Beiblau i'r werin bobl. Un person plwyf a alwai ar yr S.P.C.K. yn Llundain am

argraffiadau mwy niferus o Feiblau Cymraeg oedd Griffith Jones o Landdowror, a sefydlodd rwydwaith o ysgolion cylchynol yn y cyfnod o 1737 ymlaen, ysgolion a greodd gyhoedd o ddarllenwyr Cymraeg a galw cyson am gopïau o'r Beibl. Yn ei adroddiadau ar yr ysgolion hyn, y *Welch Piety*, dywedodd Griffith Jones fod Thomas Gouge, sefydlydd y *Welsh Trust* yn yr 1670au, wedi dosbarthu llaweroedd o Feiblau

44 Map o Sir Benfro, 1602, gan yr hanesydd George
    Owen, un o edmygwyr yr Esgob Morgan.

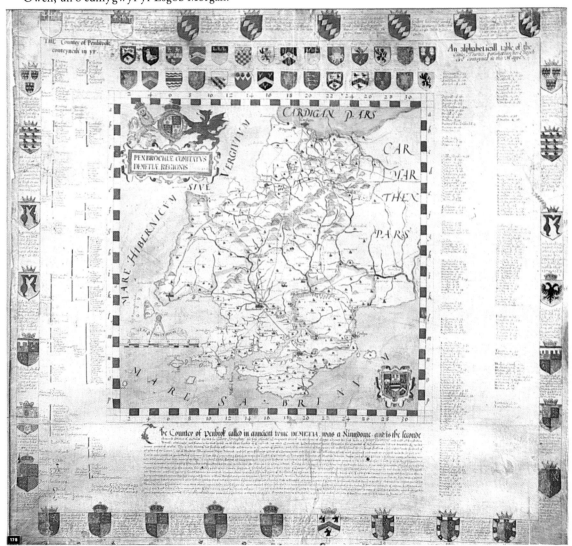

45 'Y Beibl Bach', 1630, y Beibl Cymraeg cyntaf i'w argraffu i'r cyhoedd.

Cymraeg, ond gan nad oedd ysgolion ar gael i ddysgu'r werin, yr hyn a ddigwyddodd i'r Beiblau oedd iddynt gael eu cloi fel creiriau i'w trysori, heb neb yn eu darllen. Os gwir hynny am ddiwedd yr 17 ganrif, nid gwir fyddai hynny am y 18 ganrif, a chyda moddion addysg dyma'r cyfnod pryd y daeth mwyafrif y Cymry i adnabod eu Beiblau; roedd cyfle wedi dod o'r diwedd iddynt eu darllen drostynt eu hunain. Hyd yn oed ar ddechrau'r 18 ganrif yr oedd digon o adargraffiadau o'r Beibl Cymraeg yn bodoli i alluogi'r ysgolhaig Moses Williams i wneud catalog ohonynt, a hwnnw a

ddefnyddiwyd yn sail i lyfr ar hanes y Beibl Cymraeg gan Dr. Thomas Llewelyn yn 1768.

Yn y 18 ganrif argraffwyd Beiblau yn cynnwys mapiau ysgrythurol, Beiblau eraill a darluniau wedi'u hengrafio ynddynt, a llawer iawn o lyfrau esboniadol, i esbonio adnodau'r Beibl. Yn gynnar yn y 18 ganrif cyhoeddwyd math arall o lyfr a oedd yn gymorth mawr i ddarllenwyr ddefnyddio'r Beibl, a hwnnw oedd mynegai i eiriau'r Beibl, math o gytgordiad lle y gallai'r darllenydd ddarganfod ar unwaith ble yn y Beibl y ceid yr adnod a'r adnod, neu'r gair a'r gair.

Erbyn ail hanner y 18 ganrif roedd nifer o argraffdai wedi codi yma ac acw ar hyd a lled Cymru, ond gan argraffwyr y Brenin yn unig yr oedd yr hawl i argraffu Beiblau, ac eithrio'r hawl

46 Map printiedig o wledydd y Beibl allan o Feibl a olygwyd gan Richard Morris, 1746.

a roddwyd i brifysgolion Rhydychen a Chaer-grawnt. Ond gwelwyd bod ffordd o osgoi'r monopoli hwn trwy argraffu testun y Beibl ynghyd â nodiadau helaeth ar ymyl y ddalen, a'i werthu fel 'esboniad' yn hytrach nag fel Beibl. Y Cymro cyntaf i wneud hyn yn llwyddiannus oedd Peter Williams, ac fe ddaeth 'Beibl Pitar Williams' yn argraffiad hynod boblogaidd.

Erbyn diwedd yr 17 ganrif roedd cryn bwyslais yn Eglwys Loegr ar yr arfer o ddarllen y Beibl gartref a myfyrio arno, ac fe ddaeth yr arfer yn gyffredin iawn erbyn diwedd y 18 ganrif, yn enwedig ymhlith y rheini a oedd wedi ymuno â chymdeithas y Methodistiaid, neu a oedd wedi

47 'Beibl Mary Jones'—y copi a gafodd Mary Jones gan Thomas Charles o'r Bala ac a ysgogodd sefydlu'r Feibl Gymdeithas.

ymneilltuo o'r Eglwys ac ymuno â sectau fel y Bedyddwyr. Beibl William Morgan a ddefnyddid yn yr ysgolion cylchynol, lle y cafodd miloedd o Gymry eu haddysg, a thua diwedd y 18 ganrif defnyddid ef yn yr Ysgolion Sul a sefydlwyd gan y Methodist, Thomas Charles o'r Bala. Cyfnod mwyaf dylanwadol yr Ysgolion Sul hyn oedd rhwng 1786 a thua 1880. Sefydlwyd cannoedd ohonynt trwy Gymru benbaladr, a gofalodd Thomas Charles am ddosbarthu Beiblau iddynt, yn ogystal â llyfrau gramadeg er mwyn iddynt ddeall Cymraeg cywir, a llyfrau esboniadol fel ei *Eiriadur Ysgrythurawl*, 'Geiriadur Charles', clamp o lyfr a allai roi gwybodaeth bellach ar unrhyw bwnc yn y Beibl. Yn ôl y chwedl adnabyddus, fe ddaeth merch bymtheg oed,

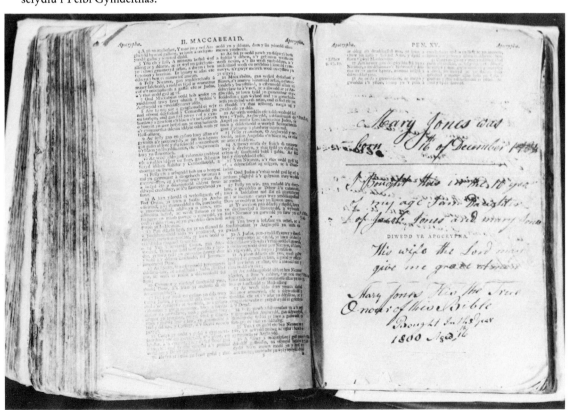

Mary Jones o Lanfihangel-y-Pennant, Sir Feirionnydd, i weld Thomas Charles yn y Bala yn 1800. Roedd wedi dysgu darllen, wedi cynilo triswllt a chwe cheiniog dros gyfnod o chwe blynedd, ac wedi cerdded yn droednoeth yr holl ffordd i'r Bala i brynu copi o'r Beibl. Yn ôl yr hanes, dwysbigwyd Thomas Charles gan yr ymdrech a'r aberth i ddylanwadu ar ei gyfeillion yn Llundain, a'u cael i sefydlu'r Feibl-Gymdeithas (*The British and Foreign Bible Society*) yn 1804, cymdeithas sy'n bod hyd heddiw yn dosbarthu Beiblau ar draws y byd mewn nifer o ieithoedd. Cymaint oedd llwyddiant y mudiadau addysgol ac efengylaidd yn ystod y 18 a'r 19 ganrif, fel y lledodd

48 Cofgolofn y cyfieithwyr ger eglwys Llanelwy, 1888.

49 Cardiau yn arddangos stampiau Swyddfa'r Post, 1988, a gyhoeddwyd i ddathlu pedwarcanmlwyddiant cyfieithu'r Beibl.

dylanwad y Beibl i bob cwr o'r Gymru Gymraeg, a chan nad oedd llawer iawn o ddiwylliant seciwlar neu fydol wedi ei argraffu yn Gymraeg, dywedid am y Cymry mai 'cenedl un llyfr' oeddynt, a Beibl William Morgan oedd y llyfr hwnnw.

Mae'n drawiadol bod nifer o sgrifenwyr Cymraeg cyfnod William Morgan a'r ganrif ddilynol yn sôn am y Beibl Cymraeg fel gorchest genedlaethol yn gymaint ag fel gorchest grefyddol, a bod ei gymorth i'r Gymraeg yr un mor bwysig â'i gymorth i achub eneidiau'r Cymry. Yn absenoldeb llenyddiaeth amrywiol wedi ei hargraffu yn Gymraeg, daeth y Beibl yn ddylanwad hynod o gryf ar ddatblygiad yr iaith. Roedd cael testun mor rhwydd a darllenadwy yn hwb i lenorion eraill ac yn gosod safon o Gymraeg graenus ar hyd y canrifoedd. Er enghraifft, pan oedd ysgolheigion fel William Owen Pughe yn ceisio diwygio orgraff a gramadeg y Gymraeg ar ddechrau'r 19 ganrif, ac yn llwyddo i gyhoeddi geiriaduron a llyfrau eraill yn yr orgraff ryfedd honno, yr hyn a achubodd y Gymraeg oedd synnwyr cyffredin eglwyswyr yn amddiffyn Beibl William Morgan ac yn mynnu cadw at ei Gymraeg ef fel ffon-fesur.

Wrth gwrs, mae'n rhaid cofio bod William Morgan, er mwyn creu Cymraeg a fyddai'n ddigon urddasol i gyfleu ysbryd yr Hen Destament, wedi gosod safon o Gymraeg a oedd yn hen ffasiwn hyd yn oed yn ei gyfnod ef, gan ddefnyddio geiriau mwy hynafol a phurach nag iaith lafar y werin gyffredin bryd hynny. Os edrychir ar y math o Gymraeg ffwrdd-â-hi a geir yng nghaneuon y Canu Rhydd Cynnar yn oes Elisabeth I, gellir gweld fod bwlch llydan rhyngddo a Chymraeg William Morgan. Mae'r bwlch hwn rhwng llafar a llyfr wedi aros hyd heddiw yn y Gymraeg. Anodd rhoi bai ar William Morgan am hynny; bai ar gyfundrefn y Cymry ydoedd, lle'r oedd diffyg unrhyw gyfundrefn addysg yn y Gymraeg rhwng canol yr 16 ganrif a chanol y 18 ganrif. Fel y digwyddodd, cyhoeddwyd Beibl William Morgan yn 1588 ar adeg pan oedd y Gymraeg yn colli statws ac urddas ac yn dechrau ymrannu'n nifer o dafodieithoedd lleol. Yr oedd yr iaith yn 'mynd ar ei thramgwydd' neu'n 'mynd ar gyfrgoll', fel y dywedid amdani. Erbyn diwedd yr 17 ganrif, cwynai nifer o lenorion eu bod yn ei chael hi'n anodd gwybod sut oedd ysgrifennu Cymraeg cywir, ac erbyn dechrau'r 18 ganrif, cwynai dosbarthwyr llyfrau crefyddol yn y Gogledd nad oedd y bobl yn deall pamffledi wedi eu hysgrifennu gan Ddeheuwyr, a'r Deheuwyr yn cwyno na ddeallent lyfrau wedi eu hysgrifennu yn iaith y Gogledd. Cymraeg gwasanaethau eglwys y plwyf, a'r Llyfr Gweddi Gyffredin a Beibl William Morgan oedd yr unig ddolen gyswllt bron rhwng siaradwyr De a Gogledd cyn i fudiadau addysg y 18 ganrif gael effaith. Pan ddaeth argraffweisg i Gymru, a rhagor o gyfoeth ymhlith y bobl, a phan ddaeth cyfle i addysgu'r werin bobl yn y 18 ganrif, daeth Beibl William Morgan i'w oed fel petai; daeth trwch y boblogaeth yn gyfarwydd â'i Gymraeg. Heb Gymraeg eglur a safonol William Morgan, mae'n anodd gweld sut y gallai Deheuwyr fel Howell Harris, Williams Pantycelyn a Thomas Charles fod wedi pregethu'n gyson trwy Ogledd Cymru a throi'r Gogledd at Fethodistiaeth gyda'r fath lwyddiant ysgubol erbyn diwedd y 18 ganrif.

Mor gynnar â 1595, achwynodd Maurice Kyffin (braidd yn orddifrifol, efallai) mai rhyw ddiwylliant pen-ffair oedd gan Gymru, diwylliant o chwedlau a chaneuon ysgafn a diddyfnder, diwylliant difyr a llawen, nad oedd yn bwydo'r deall a'r meddwl. Erbyn y 18 ganrif roedd cymdeithas y Cymry wedi newid, a nifer fawr o unigolion meddylgar wedi ymddangos a oedd yn chwilio'n ddifrifol am fwyd i'r meddwl. Caent hynny wrth fyfyrio'n dawel ar y Beibl a'r esboniadau arno. Caent hyn yn Gymraeg, a daeth y diwylliant meddylgar hwn yn sylfaen i gymaint o ddiwylliant Cymraeg modern. O safbwynt yr iaith ei hun, roedd William Morgan wedi ymddangos ar yr unfed awr ar ddeg, ac wedi rhoi cyfle newydd i'r Gymraeg fod, ymhen amser, yn iaith fodern. Ni wnaethpwyd hyn yn yr 16 ganrif i'r ieithoedd Celtaidd eraill. Heb sôn am yr achosion eraill am eu dirywiad, ni wnaethpwyd fawr ddim i newid statws a bri'r iaith Wyddeleg neu'r Llydaweg, er enghraifft, er bod llawer iawn rhagor o bobl yn siarad y ddwy iaith hynny nag oedd yn siarad Cymraeg.

I ddynion fel William Morgan, roedd purdeb ac ardderchowgrwydd a helaethrwydd y Gymraeg yn bwysig, ond pwysicach o lawer oedd achub eneidiau'r Cymry. I Saeson a oedd yn barod i helpu, fel yr Archesgob Whitgift, dyma oedd yr unig gymhelliad, unig ddiben cyfieithu'r Beibl i'r Gymraeg. I'r Protestant pybyr, nid oedd modd i'r unigolyn gael ei achub heb iddo ddeall ei sefyllfa druenus fel pechadur yn gyntaf, a chael tröedigaeth a throi at Dduw. Ni allai ddechrau sylweddoli beth oedd cyflwr enbyd ei enaid tragwyddol heb iddo glywed neges Crist yn ei iaith ei hun. Lleiafrif bach o'r Cymry a ddeallai Saesneg ac felly nid oedd gobaith i'r mwyafrif mawr yn eu dallineb uniaith Gymraeg. Felly y byddai am ganrif a mwy, a chenhedlaeth neu ddwy neu dair o Gymry uniaith yn mynd i uffern. Roedd sefyllfa felly'n wrthun i unrhyw Brotestant fel Whitgift.

Mae'n bosibl bod rhai, yn Gymry a Saeson, yn gwrando ar apêl dadleuon hanesyddol rhai fel Richard Davies mai'r Cymry oedd etifeddion y Brythoniaid hynny a dderbyniodd neges Crist gyntaf i gyd oddi wrth Joseff o Arimathea, ac felly bod cyfiawnhad i Feibl yn y Gymraeg er mwyn i'r Cymry gydnabod eu rhan yn nhraddodiad Cristnogol Ynysoedd Prydain. Yn sicr, roedd digon o Gymry a Saeson ar ddiwedd yr 16 ganrif yn ofni bod y Cymry, na allent glywed neges a chenhadaeth Eglwys Loegr, mewn perygl o droi at Gatholigiaeth. Ystyrid Cymru'n wlad hen-ffasiwn lle'r oedd arferion yr Oesoedd Canol wedi goroesi. Beth pe bai'r Sbaenwyr yn ymosod yn fuan? A fyddai'r Cymry'n debygol o ochri gyda hwy? Hyd yn oed mewn plwyf pellennig fel Llanrhaeadr-ym-Mochnant roedd William Morgan — gyda help milwr a ddaethai adref o ryfeloedd yn erbyn Sbaenwyr yn yr Iseldiroedd — yn drilio'r pentrefwyr mewn gwarchodlu 'Home Guard' rhag ofn i Sbaenwyr lanio yn rhywle. Roedd llawer o fynd a dod ar y moroedd rhwng Cymru a Sbaen. Beth pe bai'r Cymry yn troi yn erbyn y Saeson fel roedd y Gwyddelod yn ei wneud yn y cyfnod hwn? Beth pe bai Beibl Cymraeg yn help i iaith leiafrifol fel y Gymraeg i oroesi? Pris bychan i'w dalu oedd hynny o'i gymharu â gwerth ennill teyrngarwch y Cymry i Eglwys Loegr.

Canlyniad cyfieithiad 1588, felly, oedd prysuro tröedigaeth y Cymry i fod yn Brotestaniaid pybyr. Wrth gwrs, roedd holl rym ac awdurdod llywodraeth Llundain yn gorfodi'r Cymry i newid, ond gwnaethpwyd y ffordd yn llawer haws iddynt newid trwy gael Beibl a Llyfr Gweddi a phopeth arall yn Gymraeg. Beth pe na bai'r Cymry wedi cael eu Beibl? Beth pe na baent wedi troi'n Brotestaniaid pybyr? Beth pe baent wedi glynu'n wargaled neu'n arwrol at Gatholigiaeth? Ni ellir bod yn sicr, wrth gwrs, ond gwyddom fod y Saeson wedi ystyried cynlluniau i blannu trefedigaethau o Brotestaniaid teyrngar o Saeson trwy Gymru. Byddai trefedigaethau felly wedi bod yn ddigon i ladd y genedl yn yr 16 a'r 17 ganrif, o gofio mor gryf oedd Lloegr ac mor fach oedd poblogaeth Cymru. Ni ddigwyddodd hyn; fe drodd y genedl yn Brotestaniaid ufudd, rhai ohonynt yn Brotestaniaid pybyr. Mae'n wir ein bod yn dueddol o droi pob rhaid yn rhinwedd. Mae perygl mewn dadlau felly. Ond o ystyried y bygythion i barhad y Cymry fel cenedl a oedd yn bodoli yn yr 16 a'r 17 ganrif, ac o gofio bod y Beibl Cymraeg wedi troi'r Cymry'n genedl o Brotestaniaid, gellir dweud fod William Morgan wedi rhoi cyfle i'r genedl ei hun oroesi.

———————————— ◆ ————————————